ために

イマヌエル・カント
丘沢静也 訳

講談社学術文庫

目次

付録

凡例

・本書は、Immanuel Kant: *Zum ewigen Frieden. Ein philosophischer Entwurf* (Königsberg: Friedrich Nicolovius, 1795), Der Text folgt der neuen, vermehrten Auflage, Königsberg: Friedrich Nicolovius, 1796（増補第2版）の全訳です。

・底本は、Immanuel Kant: *Zum ewigen Frieden und Auszüge aus der Rechtslehre*, Kommentar von Oliver Eberl und Peter Niesen, Berlin: Suhrkamp (Suhrkamp Studienbibliothek 14 [stb14]), 2011 を用いました。これは、Immanuel Kant: *Werke in sechs Bänden*, herausgegeben von Wilhelm Weischedel, Bd. 6, Darmstadt: Wissenschaftliche Buchgesellschaft, 1964 のテキストをベースにしたコンパクトな研究版です。

・訳出にあたっては、アカデミー版全集 *Kant's gesammelte Schriften*, herausgegeben von der Königlich Preußischen Akademie der Wissenschaften, Abt. 1, Bd. 8, Berlin: G. Reimer, 1912 を参照したため（https://korpora.zim.uni-duisburg-essen.de/Kant/verzeichnisse-gesamt.html でオンライン版を参照できます）、そのページ数を［343］の形で訳文中に示しました。ドイツ語と日本語では構文もちがうので、挿入位置は、だいたいの目安にすぎません。

・原注は、＊の形で示し、当該段落の直後に配置しました。

・訳者による補足・注記を〔 〕で挿入しました（おもに右記 stb14 によっています）。読者の便宜を考えて、長いものでも本文中に入れてあります。

・原文でラテン語が単独で用いられている箇所は「留保条項〔clausula salvatoria〕」の形で、ドイツ語にラテン語が併記されている箇所は「財産（patrimonium）」の形で示しました。

・原文におけるゲシュペルト（隔字体）の箇所は傍点で示しました。なお、ひらがな書きが続く中で特定の語句を目立たせるために傍点を用いた場合もあります。

永遠の平和のために

哲学者がデザインする

イマヌエル・カント

［343］

永遠の平和のために

「永遠の平和」亭という風刺のきいた屋号は、あのオランダの宿屋の主人が考えたものだが、その看板には墓地の絵が描かれていた〔ライプニッツ（1646〜1716年）は手紙に、「とある教会の墓地の入口に〈永遠の平和〉という銘が掲げられていた」と書いている。この小冊子のタイトル Zum ewigen Frieden は、〈永遠の平和のために〉と読めるが、〈「永遠の平和」亭〉とも読める。ドイツ語では、der schwarze Bär（黒熊）の前に zu をつけて、Zum Schwarzen Bären とすると〈黒熊亭〉になる。ちなみに草稿では、小文字の ewigen（決定稿）ではなく大文字の Ewigen だった〕。この小冊子のタイトルも「永遠の平和のために」だが、それが、人びと一般を意識したものなのか、それとも特に、戦争に飽きることのない国のボスたちを意識したものなのか、それともまさか、「永遠の平和」なんて甘い夢を見ている哲学者たちだけを意識したものなのか。とりあえず、それは棚に上げておこう。だが「永遠の平和」のデザイナーとしては、以下のことを確認しておきたい。実際の政治家は理論家を見下して、学校の先生みたいなものだね、と自信満々の顔で軽蔑する。国というものは経験をもとに組み立てられているわけだから、理論家が机上の空論を並べても、国はビクともしないし、理論家が〔ピンは全部で9本の〕九柱戯（ボウリング）で一度に11本のピンを倒したところで、世間というものを心得た政治家なら、気にする必要はない。だから、理論家と論争になった場合でも、政治家は、理論家が運を天に任せて大胆なアイデアを公表したところで、国に対する危険をそのアイデアに嗅ぎつける必要もない。——という留保条項〔clausula salvatoria〕により、「永遠の平和」のデザイナーは、悪意あるあらゆる解釈から、最善のかたちではっきり保護されている、と主張しておくのである。

第1章　国どうしが永遠の平和を保つための予備条項

その1「将来の戦争の種をひそかに留保して結んだ平和条約は、平和条約とみなすべきではない」

というのも、そのような平和条約は、たんなる停戦であって、敵対行為の延期にすぎず、平和ではないからだ。平和とは、あらゆる戦闘行為が終了していることであり、平和に「永遠の」という形容詞をつけると、それだけでいかがわしく冗長な表現になる。将来の戦争のきっかけとなりそうな種は、もしかしたら条約を結ぶ当事者さえ気づいていないとしても、まともな平和条約なら、すっかり消滅させているものだ。もっとも、そのような種は公式文書からでも、[344] 優秀な鋭い目によって探し出されるのかもしれないが。――尊大な要求は、今後まっ先に考え出されるというのが相場だが、どちらの陣営も今のところ口にせず留保 (reservatio mentalis) している。両陣営とも疲れきっていて、戦争を続けることができないので、触れたくないのだ。だが、戦争の口実に使えそうなチャンスさえあれば、すぐに留保をやめて要求する魂胆だ。そういう留保は、事の次第をありのままに判断すれば、イエズス会の決疑論のような二枚舌である。それは、統治者の品位を汚す。また統治者の言いなりになっている大臣の品位も汚す。——

しかし、国家戦略（国の利口さ）という割り切った概念で考えるなら、どんな手段を使っても権力をどんどん大きくすることが、国の本当の名誉とされるわけだから、平和条約についてここに書いた判断は、もちろん、学校で使われている杓子定規な判断のように見える。

その2「独立している国は（国の大小に関係なく）、相続・交換・売買・贈与によって別の国に取得されてはならない」

なぜなら国というものは、（たとえば国土のような）所有物や財産（patrimonium）ではないからである。国とは人びとの社会のことだ。そしてその社会を、ほかの誰でもない国みずからが支配し運営する。国は幹のようなもので自分自身の根をもっていたのに、その国を接ぎ枝として別の国にくっつければ、道徳的な人格としての国の存在をおしまいにして、道徳的な人格を物件にすることになる。つまりそれは、国の起源である契約というアイデアに反することになる。そのアイデアがなければ、民族にかんする法や権利を考えることはできない。[*]〔たとえばハプスブルク家の政略結婚のように〕国と国もまた結婚できる。このことをヨーロッパ以外の世界は知らなかったが、そうやって国を取得する方法についての誤った考え方が、現代の私たちの時代にいたるまでヨーロッパにどれだけ危険をもたらしたか、誰でも知っている。あるときは、産業の新方式として、労働力の投下などせずファミリーの縁組によって優位になり、またあるときは、同じ方式で土地の所有を拡大した。——また、共通の敵ではない国を攻撃するために、自国の軍隊を他国に貸すということも、誤った考えである。というのも、その場合、臣民が、好き勝手に使われ消費されるからだ。

＊　相続された国とは、別の国に相続された国のことではなく、その国を統治する権利が、身体をそなえた別の人格に相続される国のことである。そのとき国は統治者を取得するのであって、統治者が統治者として（つまり、すでに別の国をもっている者として）国を取得するわけではない。

[345] **その3「常備軍（miles perpetuus）は、いずれ全廃するべきである」**

というのも、常備軍はいつでも出撃する準備をととのえているので、他国をたえず戦争の脅威にさらしているからだ。それに刺激されて、どの国も競って軍備を際限なく拡張するようになる。そしてそのために投じられる軍事費のせいで、結局、平和のほうが短期戦より重荷になってしまい、その重荷から逃れるために、常備軍そのものが先制攻撃のきっかけとなるのである。それだけではない。殺したり殺されたりするためにお金で雇われるということは、人間を他者の（つまり国の）手でたんなる機械とか道具として使うという意味も含んでいるように思えるが、そのような使い方は、人格をそなえた人間であるという権利と相容れないだろう。けれども国民が自分の意思で期間限定で武器をもって訓練して、自分と祖国を外からの攻撃から守るというのは、まったく別の話である。――国庫の蓄財も、常備軍と同じ危険をはらんでいるかもしれない。蓄財は、他国には戦争の脅威とみなされるので、仕方なく他国が先制攻撃をしてくるかもしれないからだ（なぜなら、兵力、同盟力、資金力という3つの力のうち、資金力が、戦争では一番信頼できる道具だろうからだ。もっとも、その額の調査がむずかしい場合は、先制攻撃をされることもないだろうけれど）。

その4「対外紛争のために国債を発行するべきではない」

国の経済（道路の整備、新しい入植、凶作にそなえた備蓄の手配など）のために国の内外から支援を得ようとして、国債を発行するのは疑わしいことではない。だが、国と国が権力を競いあうための装置として、信用システムを使えば、負債はどんどん大きくなるのに、その負債は（すべての債権者が一斉に返却を請求することがないから）当座の請求がないためつねに安全でありつづけるせいで――このシステムはこの18世紀の商業国〔イギリス〕の民〔イングランド銀行〕の巧みな発明であるのだが――、お金が危険な力になる。つまり、戦争をする資金になる。その額は、他の諸国すべての資金を合計した額よりも高く、そのうち税収不足にでもならないかぎり底を突くことはない（国債発行が産業や商業に波及するので、で、取引が盛んになって、なかなか税収不足にならないですむ）。というわけで国債発行は戦争をやりやすくする。ここに権力者の戦争好きが結びつくと、なにしろ人間には戦争好きという性質があるようなので、永遠の平和にとって大きな障害となる。だから国債発行の禁止を、[346] 永遠の平和の予備条項にすることが、ますます必要となるにちがいないだろう。なぜなら、国の破産がついに避けられなくなると、負債のない他の諸国まで巻き込んで損害をあたえてしまい、他の諸国の法を公的に侵害することになるだろうからだ。したがって、このような国とその不当行為に対抗して、少なくとも他の諸国には、同盟を結ぶ権利がある。

その5「どのような国も、他国の体制や統治に暴力で干渉するべきではない」

どうして、暴力で他国に干渉する権利が生まれるのだろうか？　たとえば、ある国が他国の臣民にあたえるもの、つまりスキャンダルのせいで？〔しかし〕スキャンダルはむしろ、どこかの国民がその無法のせいで招いた大悪の実例として、警告となるはずだ。そもそも悪例というものは、自由な人格が他の人格にあたえるものだが（認知されたスキャンダル〔scandalum acceptum〕にすぎず）、他の人格を法的に侵害するものではない。――ところが、ある国が内部分裂して2つに分かれ、それぞれが独立した「国」だと主張して、全体を支配しようとする場合は、事情がちがってくるだろう。その2つの「国」のうちの一方の「国」に援助することは、もう一方の「国」にとって、他「国」の体制への干渉とは考えられないだろう（というのもその国は無政府状態なのだから）。けれどもその国の内戦がまだ決着していないときに、外国の権力が干渉すれば、国民の権利が侵害されたことになるだろう。国民は、国内の病気と闘っているだけで、他国には従属していないのだから。だから他国の干渉はそれだけで、そこにあるスキャンダル〔scandalum datum〕であり、すべての国の自律を危うくすることになるだろう。

その6「どのような国も、他国との戦争では、将来の平時においてお互いの信頼を不可能にしてしまうような敵対行為をするべきではない。たとえば、暗殺者（percussores）や毒殺者（venefici）を雇う、降伏させない、敵国での反逆（perduellio）をそそのかす、などのことはするべきではない」

これらは卑劣な軍略である。というのも、戦争の最中でも、敵だってものを考える人間なのだと、まだどこかで信頼しているにちがいないからだ。そうでなければ平和を締結することはできないだろうし、敵対行為が絶滅戦争（bellum internecinum）になってしまうだろう。だが、戦争というのは、（法の力によって判断できる法廷が存在しない）自然状態において、暴力によって自分の正義を主張するという、悲しい非常手段にすぎないものだ。それに、どちらの側も相手を「正義のない敵だ」と宣告することはできない（宣告するには、すでに裁判官の判決が前提になっているのだから）。どちらの側に正義があるのかは、[347]戦争の勝敗によって（まるで神明裁判のように）決められる。しかし、国と国のあいだでは懲罰戦争（bellum punitivum）というものは考えられない（なぜなら、国と国のあいだには上位の者と下位の者の関係がないのだから）。——とすると、こういうことになる。つまり絶滅戦争では、両方が同時に消え、それとともにすべての正義も消えるから、永遠の平和は、人類の大きな墓地でしか実現しないだろう。だから、このような戦争は、このような戦争に導く手段の使用ともども、絶対に禁止しなければならない。——ところで、はじめに並べた軍略は必然的に絶滅戦争に導いてしまう。それは以下の理由から明らかだ。たとえばスパイを使うこと（uti exploratoribus）は、ほかの人間の卑劣な無節操（ともかくこればかりは根絶できない）を利用するだけだが、はじめに並べた地獄のような手管は、それ自体、下劣なものであり、それが使われると、もはや戦争の枠内にとどまらず、平時にまで持ち越されるので、平和を実現するという意図を完全に消すことになるだろう。

＊　＊　＊

この章に書いた条項は、客観的なもので、つまり権力者たちの意図によるもので、禁止する法（leges prohibitivae）ばかりである。そのうちのいくつか（「その1」、「その5」、「その6」）は、状況の違いにかかわらず適用されて、ただちにそれらの行為の禁止を迫る厳格な法（leges strictae）である。だが、ほかのいくつか（「その2」、「その3」、「その4」）は、法ルールの例外とはならないものの、法ルールの執行にかんしては、状況によって、主観的にその権限を広げて（leges latae）、その実行を延期することが許されている。とはいえ、その目的を見失ってはならない。たとえば「その2」の場合だが、ある国から奪った自由をその国に回復させることを（〔ローマ帝国の〕アウグストゥス帝は「ギリシャ暦のカレンダエまでに（ad calendas graecas）」〔カレンダエはローマ暦で「月の最初の日」のこと。ギリシャ暦には存在しない〕と、よく約束していたが）、けっして来ない日にまで延期する、つまり、自由を回復させないということではない。回復を急ぎすぎると、本来の意図に反することになるので、回復の遅延を許す、というだけのことにすぎない。というのも、ここで禁止されているのは、国を取得する方法のことだけで、それはこれからも認めるべきではないが、国を取得後に所有していることは、禁止されていないからだ。取得後の所有は、権原〔法として主張できる必要な権利〕はないものの、当時の（誤想取得〔権利がないのに権利があると思って取得すること〕の）時代には、当時の世論によって、すべての国が合法だとみなしていた。*

＊　命令する法（leges praeceptivae）と禁止する法（leges prohibitivae）のほかに、純粋理性による許容する法（leges permissivae）が存在するものかどうか。[348]これについてはこれまで疑われてきたが、理由がないわけではない。そもそも法というものには、客観と実地から見て必然的だという理由があるからだ。けれども許容ということには、実地では偶然にすぎない行為が理由になっている。だから、許容する法には、誰かに強制できないことをするように強制することが含まれている。だがこれは、かりに法の対象が必然の関係においても偶然の関係において

も、同じ意味をもっているとすれば、矛盾していることになるだろう。――ところで、許容する法をここで問題にしているわけだが、前提となっている禁止は、(たとえば相続のような) ある権利の将来における取得方法だけにかかわるものである。しかし、その禁止の免除、つまり許容は、取得後の現在の所有にかかわるものである。そしてこの取得後の所有は、自然状態から市民状態への移行段階では、非合法ではあってもまともな所有 (誤想所有〔possessio putativa〕) として、自然法の許容ルールに照らせば今後も継続可能である。とはいえ、誤想所有は、誤想による所有だと認められてしまうと、ただちに自然状態において禁止される。それは、似たような取得方法が、その後の (移行後の) 市民状態において禁止されるのと同様である。かりに市民状態において、所有が誤想による取得だったなら、その所有を継続する権限は認められないだろう。というのもその場合、その所有は、それが不法なものであることが明らかになるとただちに、法の侵害であるとして、終了するしかないだろうからだ。

許容する法〔lex permissiva〕という概念は、ものごとをシステムで考える＝ものごとを分類する理性に対しては、ひとりでに生じてくる概念だが、私がここでこの概念についでに触れたのは、自然法学者にこの概念に注目してもらいたいと思ったからにすぎない。そう思ったのには特別の理由がある。民法 (法規で定められた民法) では、しばしばこの概念が使われるのだが、そこでの区別が不十分なのだ。つまり、禁止する法は独立して定められているのに、許容のほうは、禁止を制限する条件として (これが本来あるべき姿だが)、禁止する法のなかに組み込まれているのではなく、例外として並べられているにすぎない。――つまり、こんな具合に書かれているのである。〈これこれのことは禁止されているが、ただしその限りではないものとして、1番、2番、3番などなど〉とどこまでも続くのである。許容事項が法に追加されるのは、偶然にすぎない。原理によるのではなく、その場その場のケースでの手探りによるのである。というのも、もしもそうでなければ、禁止を制限する条件は、禁止する法の公式のなかに一緒に書き込まれる必要があったわけで、そうなると、禁止する法はそのまま同時に、許容する法になっていただろうから。――だから、賢くて鋭いヴィンディッシュグレーツ伯〔1744～1802年。外交官で法や哲学についての著作がある〕が、意味深い未解決の懸賞問題を出したのに、すぐに無視されたのは、残念なことである。その懸賞問題は、まさにこの問題に迫るものだったからだ。というのも、そのような（数学に似た）公式が立てられるかどうかが、矛盾のない立法にとっては唯一の真の試金石なのだから。そのような公式が立てられないなら、いわゆる確定法〔ius certum〕は、いつまでも殊勝な願いのままだろう。――それが可能でないなら、私たちが手にするのは、（だいたいすべてに当てはまる）一般的な法にすぎず、法の概念が要求しているような（例外なくすべてに当てはまる）普遍的な法ではないだろう。

[348]

第2章　国と国のあいだで永遠の平和を保つための確定条項

隣人どうし平和に暮らしているのは、自然状態（status naturalis）ではない。自然状態とは、むしろ戦争の状態である。[349] つまり、敵対行為がつねにあるわけではないが、敵対行為の脅威がつねにある状態のことである。だから平和な状態はもたらされるしかないものだ。敵対行為がないということは、平和な状態を保障するものではない。その保障は隣人が他の隣人にするものだが（それが可能なのは、法が生きている状態においてだけだが）、その保障がない場合、隣人は、その保障を要求した相手である他の隣人を、敵として扱う可能性がある。*

* 一般に認められていることだが、相手から危害を加える行為をされた場合は別として、相手に対して敵対的にふるまってはならない。このことは、相手と私の双方が市民であって法の下にいる状態のときは、まったく適切なことである。というのも、相手もこの状態に入っていることによって、相手は私に（双方に対して権力をもっている当局の介在により）必要な保障をあたえているのだから。――しかし、たんなる自然状態にいる人（または国民）は、まさに自然状態で私

の隣にいるというだけで、私からその保障を奪い、私に危害を加えている。実際の行為(facto)ではないにしても、その状態には法がない(statu iniusto)のだから。無法状態のせいで私は、たえず彼に脅かされているわけだから、彼に対しては、「私といっしょに共同体的な法の下に入れ。それが嫌なら、私の隣から消えろ」と強制してもよい。——というわけで、以下のすべての条項の土台として要請する前提は、こういうことになる。すべての人は、お互いに影響をあたえあう可能性があるわけだから、市民としてなんらかの体制に属している必要がある。

どんな法体制も、そこに属する人格で分類すると、次のどれかになる。

(1) ある民族に属する人びとの国民法にもとづく体制(市民法〔ius civitatis〕)

(2) 国と国がお互いに関係する国際法〔=諸民族法〕にもとづく体制(万民法〔ius gentium〕)

(3) 人びとや国々はお互いに関係しあっているように見えるが、世界をひとつの普遍的な人類国と見れば、その市民とみなせるので、世界市民法にもとづく体制(世界市民法〔ius cosmopoliticum〕)

この分類は恣意的なものではなく、永遠の平和というアイデアに必然的に関係している。というのも、これらの体制のメンバーのうち、たったひとりの〔・たったひとつの〕メンバーが、他のメンバーにフィジカルな影響をあたえる関係にあるのなら、おまけに自然状態にあるのなら、それは、戦争の状態に結びついていることになるだろうからだ。そういう状態をなくすことが、この小冊子の、つまり「永遠の平和」のデザイナーの意図である。

永遠の平和のための確定条項 その1
どの国でも市民の体制は共和的であるべきだ

3つの要件によって設立される体制がある。まず第1に、ある社会のメンバーは（人として）自由であるという原理。第2に、すべてのメンバーが（臣民として）共通の唯一の立法に従属しているという原則。[350] 第3に、すべてのメンバーが（国民として）平等であるという法。――この3つによって設立された体制だけが、起源となる契約というアイデアから生まれる体制であり、民族の正当な立法すべての土台になっているにちがいない体制であるわけだが――この体制が共和制なのだ。* だから共和制はそれ自体で、法にかんしては、あらゆる種類の市民組織の根底にあるものである。とすると、実際に共和制だけが永遠の平和に通じる道なのか、ということだけが問題になる。

* 法的な（つまり外的な）自由は、「誰にも不当なことさえしなければ、好きなことをしてもよい」という権限によって定義されることが多いようだが、そんなふうにして定義することはできない。というのも、権限とはどういうことなのだろうか？　それをしても誰にも不当なことにはならない行為をしてもよい、ということなら、法的な自由の説明は、「それをしても誰にも不当なことにはならない行為をしてもよいという自由」ということになるだろう。つまり、「誰にも

不当なことさえしなければ、誰にも不当なことはしない（好きなことをしてもよい）」。したがって、これはむなしい同語反復である。——むしろ私の外的な（法的な）自由は、こう説明することができる。つまり、私が同意することができた法以外の、どんな外的な法にも従わないという権限である、と。——まったく同様に、国における外的な（法的な）平等も、国民相互の平等の関係と同じである。お互いに相手を同じ仕方で縛ることができる法に、自分も同時に縛られていなければ、誰も他人を法的に何らかのことに縛ることはできないのだ（国民が）法に従属しているという原理は、説明の必要がない。この原理は、そもそも国の体制という概念に含まれているのだから）。——これらの権利は、人類に当然そなわっている生まれつきのもので、手放すことができないものだが、その妥当性は、人間がより高次の存在（そのようなものを考えるとしてだが）に対してすら法的な関係をもっているという原理によって、証明され、高められる。人間が、まったく同じ原則によって、自分のことを超感覚的な世界の市民だと想像することによって。——というのも、神の、私が理性でしか認識できない法を考えるとしても、私の自由にかんして私は、私自身がその法に同意できる場合のほかは、まったく縛られていないのである（というのも私は、私自身の理性がもっている自由の法によって、なによりもまず、神の意思という概念をつくっているのだから）。たとえば（偉大なる永遠（アイオーン）のような）、神以外の至高の存在というものを考えておきたい。永遠（アイオーン）に平等の原理がどうかかわるのか。永遠（アイオーン）が永遠（アイオーン）の立場で永遠（アイオーン）の義務をはたしているように、私が私の立場で私の義務をはたしている場合、命令に従う義務を私にだけ押しつけ、命令する権利を永遠（アイオーン）には認めるべきだ、などと言われても、私にはその理由がわからない。──この平等の原理は、（自由の原理とちがって）神との関係には当てはまらない。義務の概念が消えるのは、神という存在においてだけだからだ、というのがその理由である。

ところで、臣民としての、国民の平等の権利についてだが、世襲貴族を認めるかどうかに答えるとき、[351] ひとつだけ問題になることがある。それは、「国に許可された（他の臣民よりも上級の臣民という）地位を功績に優先させるのか、それとも功績を地位に優先させる必要があるのか」という問題である。──さて、明らかなことがある。地位が生まれに結びつけられる場合、（職務に通じ、職務に忠実であるという）功績が地位についてくるだろうか。それはきわめて不確実だ。つまり、まさにそれは、優遇された者に対して、功績もないのに（命令する者であるという）地位を認めるかのようなものである。そんなことは国民一般の意思が、起源となる契約（これがあらゆる法にとっての原理なのだが）では、けっして同意しないだろう。というのも、貴族だからといって貴族は、そのまま貴い人であるわけではないのだから。──公職貴族の場合はどうだろうか（高級官吏の地位を公職貴族と呼んでもいいだろう）。そして公職貴族になるには功績が必要である）。この地位は、所有物として人に付与されるものではなく、役職に付与されるものである。だから平等が損なわれることはない。公職貴族がその公職を去るときには、それと同時にその地位も捨てて、ひとりの国民に戻るからである。──

[351] ところで共和制というのは、法概念という純粋な泉から湧いたものだから、源泉が

透きとおっている。それだけではなく、望ましい結果を見通させてもくれる。つまり、それは永遠の平和のことだが、その理由を書いておこう。――「戦争をするべきか、するべきでないか」の決定には、(共和制ではこのやり方しかないのだが)国民の同意が必要である。そうすると当然、国民は戦争がもたらすあらゆる苦難を背負いこまざるをえなくなるだろう(たとえば、自分で剣を持って闘う。自分の持っている金品を戦費として差し出す。戦争が残した荒廃をなんとかかろうじて復旧する。さらにひどいことだが最終的には、戦争による負債をかかえこむ。その負債は、(つねに次の戦争が迫っているという理由で)けっして完済しないもので、平和であることをいまいましく思わせすらするわけだが)。だから国民は、そんなにひどいゲームを始めてよいものかと、非常に慎重に考えるだろう。これとは逆に、臣民が国民ではない体制では、つまり共和制ではない体制では、戦争は、浮世で一番お気楽な案件なのだ。なぜなら元首が、国のメンバーのお仲間ではなく、国の持ち主だからである。戦争をしても元首は、自分の食卓や狩りや離宮や宮廷や祝宴などなどを、何ひとつ失うことがないからである。つまり戦争なんて、楽しい一勝負のようなものとして、どうでもいいようなきっかけで始めることができるからである。そして無関心だが体裁をととのえるため、いつも待機している外交団に戦争を正当化させることができるからである。

＊　＊　＊

共和制と民衆制（は、よく混同されるのだが）、この2つを混同しないために、次のことを注意する必要が［352］ある。国（civitas）の形態は、その国がどのようなものであれ、最高国家権力をもっている人によって区別することができる。あるいは、元首が民族を統治する仕方によって区別することができる。前者の区別による形態は、まさに支配の形態（forma imperii）と呼ばれるもので、3つの形態だけが可能である。支配権力をもっているのが、1人だけか、または手を結んだ数人か、または集まって市民社会をつくっている全員か、のどれかなのである（つまり、君主政と貴族政と民衆政、または君主権力と貴族権力と民衆権力）。後者の区別による形態は、統治の形態（forma regiminis）である。憲法（つまり一般意思の働きによって、人びとの集合がひとつの国民というものにまとまるわけだが）にもとづいて、国がどんな仕方で絶対権力を使うのか。というわけだから、統治形態は、共和的か独裁的か、のどちらかになる。共和主義は、執行権力（統治権力）を立法権力から分離することを国家原理にする。独裁主義は、国がみずからに与えた法を国が独断で実行することを国家原理にする。だからこちらの場合、公共の意思といっても、元首が自分の私的な意思として運用するものにすぎない。――3つの国家形態のうち、民衆政の形態は、言葉を厳密に理解すれば、必然的に独裁主義である。その理由は、民衆政が設定している執行権力を見ればわかる。なにしろみんなで、（賛成していない）人を無視して、場合によってはその人に逆らって、ということは、「みんなで」とはいっても、全員ではないのに決議するのだから。つまり、一般意思が自分自身と矛盾し、自由とも矛盾していることになる。

つまり、代議制ではない統治形態はすべて、厳密にいえば、形態とは呼べない代物なのである。なぜなら、立法者が同一の人格において同時に立法者の意思の執行人になってしまうからである（ちょうどそれは、理性的に推論するとき、上位命題における一般が、同時に下位命題で個を一般のなかに含んでいるのと同じように、矛盾していることなのだ）。ほかの2つの国家形態〔君主政と貴族政〕の場合も、この種の統治方式の余地があるという意味では、つねに欠陥をもっているわけだが、それでもこの2つが、代表制の精神にかなった統治方式を採用することは、少なくとも可能である。たとえばフリードリヒ2世〔1712～86年。「フリードリヒ大王」と呼ばれたプロイセンの啓蒙専制君主〕が、ともかく「私は、国の、最上位の召使いにすぎません*」と言ったように。この2つとは逆に、〔353〕民衆政ではそれが不可能である。なぜなら誰もが国の主人であろうとするのだから。――だから、こう言うことができる。国家権力の使用人（支配者）の数が少なければ少ないほど、また逆に、国家権力を代表する度合いが大きければ大きいほど、国の体制は、ますます共和主義の可能性に近づいていく。そして、じょじょにリフォームすることによって、ついには共和主義の高みに立つことが期待できるのだ、と。この理由から、すでに貴族政のほうが君主政よりも、共和主義の体制に到達するのがむずかしい。法による完全な体制は共和主義によるしかないのだが、しかし民衆政では、共和主義の体制に到達するには、暴力革命によるしかない。ところで国民にとって比較にならないほど大事なのは、国家形態より統治方式**のほうである（とはいえ、統治方式が共和主義という目的に適合する度合いが高いか低いかは、国家形態に大きく左右されるのだが）。けれども、統治方式を法概念にかなったものにするなら、統治方式には代表システムが必要である。代表システムをとったときにだけ共和主義的な統治方式が可能であり、代表システムがなければ（どんな体制であれ）体制は、独裁的で暴力的なものになる。――古代のいわゆる共和国は、どの国もこのことを心得ていなかった。だから独裁主義に陥り、解体してしまったのである。ちなみに独裁主義は、最高権力者がひとりだけのときが、まだしも一番耐えやすいものになる。

＊［352］支配者にはしばしば尊称（たとえば、「香油を塗られた神の子」、「神の意思の地上での代行者」、「神の意思の地上での代理人」）が添えられる。そういう尊称は、ぶしつけで、めまいのしそうなおべっかだとしばしば非難されてきた。けれども私には、理由のない非難に思える。――尊称が領主を高慢にしてしまうというのは、とんでもない勘違いで、むしろ領主は謙虚な気持ちになるにちがいない。もしも、領主が悟性をもっているならば（このことが前提になる必要があるのだが）。そして彼が、「人びとの権利というものは、ひとりの人間には大きすぎるもので、神が地上でもっているもっとも聖なるものだが、私はその管理職になったのだ」と考えるならば。だから、さらに彼が、「神が自分の目玉のように大事にしている人びとの権利を、どこか

一部でも傷つけることがないように、いつも用心していなくてはならない」と考えるならば。

＊＊〔353〕マレ・デュ・パン〔1749〜1800年。フランスのジャーナリスト。フランス革命に反対する本を書いたが、そのなかでポープの言葉を引用している〕は、天才ぶっているくせに、中身のないむなしい言葉で自慢している。長年にわたる経験をへて、ようやく〔アレクサンダー・〕ポープ〔1688〜1744年。イギリスの詩人〕の有名な言葉が真実であるという確信にいたったというのだ。「どんなかたちの政府がいいかは、阿呆どもに競わせろ。どんなかたちでも、一番いい仕事をした政府が、一番なのさ」。もしもこのポープの言葉が、一番よい仕事をした統治〔政府〕が一番よい仕事をした、という意味でしかないのなら、彼は、スウィフト流にいえば〔『桶物語』（1704年）「結局、知恵ってクルミなのさ。慎重に選ばないと、歯まで折って割ったのに、出てくるのがウジ虫ってこともあるぞ」〕、クルミを噛んで割ったのに、中にはウジ虫しか入ってなかったということになる。しかし、一番いい仕事をした統治が、そのまま一番いい統治方式、つまり国家体制である、という意味なら、とんでもない間違いである。というのも、すぐれた統治の実例があっても、それがそのままその統治方式がすぐれていることの証明にはならないからだ。――〔ローマ帝国の〕ティトゥス帝〔39〜81年〕やマルクス・アウレリウス帝〔121〜180年〕のような人物よりすぐれた統治をした人物はいないだろう。しかし前者はドミティアヌス帝〔51〜96年。ティトゥスの弟。暴虐な独裁家で暗殺された〕のような人間を、後者はコモドゥス帝〔161〜192年。アウレリウスの子。独裁家で暗殺された〕のような人間を後継者とした。このような後継者選びは、すぐれた国家体制だったら起きな

かっただろう。その後継者たちが皇帝の位にふさわしくないことは、すでに早くから知られていたのだから。そして皇帝には、彼らを後継者にしないだけの権力があったのだから。

[354] 永遠の平和のための確定条項 その2

国際法は、自由な国と国の連邦主義〔フェデラリズム〕を土台にするべきである

民族が国としてまとまっているなら、それぞれの民族を、つまりそれぞれの国を、ひとりひとりの人間のようなものだと考えることができる。自然な状態では（つまり外にある法に従属していないときには）隣り合っているだけで、お互いに加害者なのだ。だからそれぞれが自分の安全のために、相手に対して、市民どうしの場合のように、それぞれ自分の権利を保障してくれるような体制をつくろうと要求することができる。要求するべきでもある。それは民族〔・国際〕連盟のようなものだろう。とはいえ、いろんな民族〔・国民〕が集まってできた、ひとつの国である必要はないだろう。しかし、ひとつの国だと考えると矛盾が出てくるだろう。なぜなら、どの国にも上位の者（立法者）と下位の者（法に従う者、つまり民族〔・国民〕）の関係が含まれているわけだが、多くの民族〔・国民〕がひとつの国に集まると、たんなる一民族〔・国民〕になってしまうだろうからである。となると、前提に矛盾することになる（なにしろここでは、それぞれの民族〔・国民〕相互の権利を考える必要があるのだから。そしてその場合、それぞれの民族〔・国民〕は多様な国をたくさんつくっているわけだから、それらを融合してひとつの国にするべきではないのだから）。

ところで未開人は、無法な自由が大好きだ。法をつくって自分たちにそれを強制するより

は、たえずなぐり合うほうがいい。だから、理性的な自由よりは、野放図な自由のほうがいい。私たちは未開人のそういう傾向を、ひどく軽蔑した目でながめて、野蛮だ、洗練されていない、獣(けだもの)みたいに人間性を貶(おとし)めている、と考える。それと同じようにして、お行儀のいい民族は（それぞれが自分たちでひとつになって国をつくって）、未開人のように非難すべき状態から急いで抜け出している、と思われることだろう。だがそんなことはない。むしろどの国も、国の威厳を（「民族の威厳」というのは、しっくりしない表現なので）まさに、外にある法の強制にはまるで従わないことに見出している。また元首は、自分自身は危険にさらされないようにして、何千人もの人間を自分の命令下におき、彼らには無関係な問題のために彼らを犠牲にすることが*、元首の栄光だと考えている。そしてヨーロッパの未開人とアメリカの未開人の違いは、おもに以下のようなことにすぎない。アメリカの未開人のかなりの部族は、自分たちの敵に食い尽くされて絶滅してしまったが、ヨーロッパの未開人は、自分たちが征服した者を食い尽くしたりはせず、もっとましな利用法を心得ていた。自分たちの手下の数を増やすことを、[355] つまり、戦争拡大のために戦争の道具の量を増やすことを心得ていたのだ。

＊ [354] だから、ギリシャの皇帝がブルガリアの領主との争いを、国民のことを思って2人の決闘で決着させようとしたとき、ブルガリアの領主がこう答えたのである。「鍛冶屋はヤットコを

持っているので、燃えている炭のなかから灼熱した鉄を、手で取り出したりはしないでしょう」。

〔355〕人間の本性は邪悪である。それがむき出しになるのは、民族〔・国民〕と民族〔・国民〕の関係に制約がないときだ（もっとも、市民どうしで法のある状態では、統治〔・政府〕の強制力があるので、邪悪さはベールにしっかり覆われているが）。それにもかかわらず驚くべきことに、法という言葉が、これまで戦争政策から、衒学的(ペダンティック)だとして完全に追放されることはなかったし、これまでどんな国も大胆に、人間は邪悪だという見解を公言したことがない。というのも、いまだにフーゴー・グロティウス〔1583～1645年。オランダの法学者。「国際法（または自然法）の父」と呼ばれている。『戦争と平和の法』（1625年）〕、〔ザムエル・フォン・〕プーフェンドルフ〔1632～94年。ドイツの法学者。『自然法と万民法』（1672年）〕、〔エメル・ド・〕ヴァッテル〔1714～67年。スイスの外交官・法学者。『人びとの権利、あるいは自然法の原理』（1758年）〕などなどの名前が、戦闘開始を正当化するために、あいかわらず忠実に持ち出されるからだ（この人たちはみんな、人を慰めるふりをして人を苦しめるのだが〔旧約聖書『ヨブ記』16・2「あなたがたはみんな、慰めるふりをして苦しめる」〕）。しかし、この人たちが書いた法典は、哲学とか外交の本として書かれたものなのだが、法的な効力をまるっきりもっていないし、もつことすらできない（なぜなら、法的には国と国のあいだでは、それぞれの国に共通

する外からの強制がないからである)。だから、こんなに重要な人たちの証言で武装した議論があっても、これまではどの国もそれに説得されたことはなく、戦争の計画を捨てたことが一度もないのだ。——しかし、どの国も法概念に対しては(少なくとも言葉の上だけでも)敬意を払っている、ということから証明されることがある。人間には、今のところはまどろんでいるのだが、もっと大きな、モラルの素質というものがあるのではないか。その素質のおかげで、いつかは、人間のなかにある悪の原理(この存在を人間は否定することはできないが)の主人になれるのではないか。そして、そのことをほかの人にも期待できるのではないか。というのも、もしもそうでないなら、法(・権利)という言葉を(お互いに相手の国を攻撃しようとする)国がけっして口にすることはないだろうから。ただし相手を嘲笑するために、法(・権利)という言葉を使うという例外もある。たとえばガリアの族長が宣言したように。「弱い者は強い者に従ってもらおう。それは自然が、弱い者の上に立つ強い者にあたえた特権なのだ」〔ガリアの族長ブレヌスがローマ人に言ったとされる言葉。プルタルコス『対比列伝』「〔ローマの独裁官〕カミルス」〕。

国が自国の正義を追求する方法としては、国外の法廷で裁いてもらうわけにはいかないから、戦争をするしかない。しかし戦争の上首尾の結果、つまり勝利によって正義が決定するわけではない。たしかに講和条約によってその戦争は終わるが、(いつでも戦争の口実は新しく見つけることができるので)戦争状態が終わるわけではない(実際かならずしも、新しい口実を不当だと断定することはできない。なぜなら、どの国も自国の問題にかんしては裁判官なのだから)。人間が無法状態にいるときは、自然法によって、「そんな状態から抜け出すべきだ」と言える。けれども国に対しては、かならずしもそうは言えない(なぜなら、国はすでに自国の法体制を国内にもっているので、〔356〕その法体制を他国が国家間の法概念によって拡大した法体制の下に無理やり組み入れるということは、できない相談なのだから)。しかしそれにもかかわらず、正義を手に入れようとする戦争を、理性は道徳律という至高の権力の玉座から、断固として非難し、戦争ではなく平和な状態をまっすぐ目ざすことが義務だと言う。だが平和な状態は、民族と民族が契約を結ばなければ、つくり出すことも保障することもできない。——というわけだから、特別なタイプの連盟がぜひとも必要になってくる。それを平和連盟(foedus pacificum)と呼んでもいいだろう。それは講和条約(pactum pacis)とは違う。講和条約が終わらせようとするのは、ひとつの戦争にすぎないが、平和連盟が目ざすのは、すべての戦争を永遠に終わらせることだからだ。平和連盟は、なにがしかの国家権力を手に入れようとするのではない。ただただ、国の自由を維持し保障することだけをめざすのである。国の自由とは、自国の自由であると同時に、連盟した他の国々の自由でもある。しかしだからといって連盟の国々は、(自然状態の人びとのように)公法に従う必要も、それから公法に縛られる必要もない。——この連邦というアイデアは、しだいにすべての国に広がってもらいたいし、そうなると永遠の平和につながるわけで、このアイデアが実現可能（客観的にリアル）だということが、明らかにされる。つまり、力をもっていて啓蒙された民族が、幸運にも、共和国をつくることになる（共和国というのは、そのあり方からして、永遠の平和に好意的であるにちがいない）。するとその共和国が連邦の旗振り役となり、他の国々がひとつにまとまるときの中心になる。そうやって他の国々と結びつくと、国際法〔諸民族の権利〕のアイデアどおり、国々の自由な状態が保障されることになる。この種のまとまりがいくつもできることにより、その共和国〔のスタイル〕がしだいに遠くにまで広まっていくのだ。

ある民族がこう言う。「私たちのあいだで戦争があってはなりません。というのも、私たちは国というかたちを作ろうと思うからです。つまり、私たちの手で私たちに立法、行政、司法という最高権力を設定して、私たちの争いを平和に調停しようと思うからです」――この発言は理解できる。――しかし、その国がこう言えば、どうだろう。「わが国と他国とのあいだで戦争があってはならない。にもかかわらず、わが国は、立法権力がわが国の権利を保障し、わが国がその立法権力の権利を保障するような、最高の立法権力というものを知らない」。こちらの発言では、わが国の権利を信頼してもらう根拠をわが国がどこに置こうとしているのか、まったく理解できない。市民と市民の社会的な連盟のような代替物がないからだ。つまり自由な連邦主義（フェデラリズム）が欠けているからだ。どんな場合でも国際法〔諸民族の権利〕の概念で考える余地を残すべきなら、どうしても理性としては、自由な連邦主義（フェデラリズム）を国際法〔諸民族の権利〕の概念に結びつけるしかないのである。

国際法〔諸民族の権利〕の概念が、戦争する権利を意味するものなら、実際、何も考えることはできない（なぜなら、どういうことが合法的であるのかを決めるときに、個々の国の自由を外から制限して、〔357〕すべての国に妥当する法によるのではなく、一方的な暴力の原理によるものになってしまうからだ）。そんな概念なら、次のような光景になると理解されるにちがいないだろう。その種の考えをもつ人たちの身の上には当然おきることだが、彼らはお互いの摩擦で疲れ果て、永遠の平和を広大な墓に見出すことになる。その広大な墓には、ありとあらゆる残虐な暴力行為が、その張本人たちといっしょに眠っているのである。

——国と国が関係している場合、戦争しかしない無法状態から抜け出す方法を、理性で考えるなら、その道はひとつしかない。国も、個々の人間とまったく同じように、自分たちの未開の（無法の）自由を捨てて、強制力をもった公の法に嫌でも慣れていき、そうやって（明らかにどんどん大きくなっている）ひとつの国際国家〔諸民族の国〕（civitas gentium）をつくるしかないのだ。最終的にその国際国家には、地上のすべての民族が含まれることだろう。しかしそれぞれの国は、それぞれが考える国際法〔諸民族の権利〕を捨てないので、この国際国家〔諸民族の国〕というものを絶対に望まず、したがって総論では〔in thesi〕正しいとされることを、各論では〔in hypothesi〕却下する。だから（すべてが消えてしまっては困るので）ひとつの世界共和国というポジティブなアイデアのかわりに、連盟というネガティブな代理に働いてもらうしかない。戦争を阻止し、机上の空論ではなく、どんどん広がっていく連盟だけが、法を嫌う好戦的な傾向の流れを止めることができるのである。けれども、その種の傾向が暴発する危険はつねにあるのだが（神をも恐れぬ狂乱が、門のなかで——口を血まみれにして吠えている〔Furor impius intus — fremit horridus ore cruento〕。ウェルギリウス*〔『アエネーイス』一・二九四—二九六〕）。

* 戦争が終わって講和条約を結ぶとき、感謝祭の後に懺悔の日を公示して、天に向かって国の名において大きな罪過の赦しを乞うことにしても、たぶんそれは、民族にとって、ふさわしくないことではないだろう。戦争という大きな罪過は、人類にさらなる負債を負わせるものだ。他民族との関係で、法にもとづいた枠組みを踏みにじろうとし、自分たちは何者にも従属していないんだと偉そうな顔をして、戦争という野蛮な手段をむしろ選ぶわけだから（しかし、それぞれの国が求めているもの、つまり正義は、戦争によって決着がつくわけではない）。——戦争が終わってもいないのに、獲得した勝利を祝う感謝祭をやって、〔イスラエルの民よろしく〕万軍の主〔神のこと〕に向かって賛歌を歌う〔旧約聖書『詩篇』84〕なら、それは、人びとの父が考えるモラルとはまったく正反対のことである。なぜならそれは、多くの民族が敵対しあって、自分たちの正義を求めているのだということ（それだけでも十分に悲しいことだ）に無関心であるだけでなく、じつに多くの人間やその幸せを消してしまったことに喜びを感じさせるからだ。

永遠の平和のための確定条項 その3
「世界市民の権利は、誰に対してももてなしの心をもつという条件に限定されるべきだ」

ここでも、これまでの条項と同様に、博愛的な人間愛ではなく、権利を問題にする。(宿屋の主人のような)もてなしの心をもってもらうことが、[358]よそ者の権利だからだ。よそ者は、他人の土地にやってきたというだけで、他人に敵意をもって扱われてはならない。他人がよそ者を追い返してもいいのは、追い返すことがよそ者の命取りにならない場合だ。しかし、よそ者がその場で平和にふるまっているかぎり、他人はよそ者に敵意を見せてはならない。よそ者が要求できるのは、お客の権利ではない(一定期間、家族の一員として扱われるためには、親切な契約が特別に必要になるだろう)。よそ者が要求できるのは、訪問する権利だ。これはすべての人間に認められている権利で、仲間になりたいと申し出ることができる。この権利は、地球の表面を共有しているという権利のおかげだ。地球の表面は球体面なので、人間は無限に分散することができない。結局、どこかでお隣さんになって我慢しあうしかない。もともと誰も、地上のある場所にいる権利を、ほかの誰よりも多くもっているわけではない。――地表には住むことのできない部分、つまり海や砂漠があって、人びとの共同体は分断されている。けれども船やラクダ(砂漠の船)のおかげで、無人地帯を越えて行き来ができるようになり、人類に共通して認められている地表通行の権利を使って、交通が可能になっている。ところで、海岸では（たとえばバルバリア海岸では）、〔バルバリア海賊が〕近海で船を略奪し、座礁した船の船員を奴隷にする〔ヨーロッパ人は16世紀から19世紀にかけて、ベルベル人の住むアフリカ北西岸（モロッコ、アルジェリア、チュニジア、リビアなどの海岸および都市で、現在は「マグリブ」と呼ばれている）を「バルバリア海岸」と呼んでいた〕。また砂漠では（アラブの〔遊牧民族〕ベドウィンが）、〔他の〕遊牧民の部族に近づいて略奪する権利があると思っている。そのような行為は、宿屋の主人とちがって乱暴で、自然法に反している。しかし自然法が認める、もてなしの心をもってもらえる権利、つまり、やってきたよそ者の権限は、それほど大きくない。その土地に住んでいる者との交流を試みてもよい、という条件に限定される。——こんな具合にして、離れ離れの大陸どうしが、平和な関係を結ぶことができる。そして最後にはその関係がみんなに知られて法のようなものになり、そうやって人類はついに世界市民の枠組みにさらに近づくことになるのである。

ヨーロッパ大陸の文明国、とくに商業が盛んな国々の、もてなしの心をもたないふるまいを、世界市民の枠組みと比べてみると、そのヨーロッパ諸国が見知らぬ土地や民族を訪問するときに示す不正は、驚くほどひどい（ヨーロッパ諸国にとって、見知らぬ土地や民族を訪問することは、その土地や民族を征服することと同じ意味なのだ）。アメリカ、黒人の国々

〔とくに奴隷の売買が盛んだった西アフリカ〕、香料諸島〔インドネシアのモルッカ諸島。香辛料の産地〕、喜望峰などは、ヨーロッパ諸国が発見したときは、ヨーロッパ諸国の目には誰のものでもない土地だった。住民たちは存在を完全に無視されたからだ。〔東インド会社が展開した〕東インド（ヒンドゥスタン）では、代理店を置くだけだという口実で、外国人部隊を投入した。だがそれだけでなく、原住民を抑圧し、[359] その他の諸国を扇動して、広範囲にわたる戦争を引き起こし、飢餓を、暴動を、裏切りをもたらした。人類を苦しめるその悪の数々は、連禱でどんどん唱えることができるだろう。

だから、中国と日本*（Nipon）は、ヨーロッパ諸国の訪問を試食してから、賢明な対応をした。中国は来航を許可したが、入国は許可しなかった。日本は来航をヨーロッパ民族のオランダ人にだけ許可したけれど、オランダ人を日本の共同体には迎え入れず、囚人のように扱った。このようなヨーロッパ諸国の訪問で一番ひどかったことだが（モラルの裁判官の席から見れば、一番ましだったことだが）、訪問という暴力行為は喜ばれることすらない。また、ヨーロッパ諸国の商社はすべて解散寸前である。もっとも残酷で、もっとも巧妙な奴隷制の本場である砂糖諸島〔西インド諸島〕は、まともな収益をあげていない。そして、あまりほめることができない意図に、つまり艦隊の乗組員の養成のためにということだが、つまり、ふたたびヨーロッパで戦争をすることに、間接的に貢献しているだけだ。そしてこういうことをやりたがっているのが、敬虔な信仰を大げさに売り物にしているヨーロッパ諸国なのだ。不正を水のように飲みながら〔旧約聖書『ヨブ記』15・16〕、神の正しさを信じることにかけては自分たちこそが選ばれた者なのだと思われたがっているのだから。

＊　この大きな帝国を、自分で呼んでいる名前（ヒナであって、シナなどに似た音ではない）で書くためには、〔アゴスティーノ・〕ジョルジ〔1711～97年〕の『チベットの文字』〔1762年〕651ページから654ページ、とくに注bを調べてみるだけでいい。——もともとこの国は、ペテルブルク大学の〔ヨハン・〕フィッシャー〔1697～1771年〕教授の見解によれば、決まった名前をもっていない。一番よく使われているのは、金〔Kin〕、つまり金（チベット人はこれをセルと言う）という名前である。だから皇帝は、金（世界で一番すばらしい国）の王と呼ばれるわけで、この単語は、本国ではヒンという発音になるのだろうが、イタリアの宣教師たちが（喉頭音がうまく出せなかったので）キンと発音したのだろう。——このことからわかることだが、ローマ人にセレルと呼ばれていた国は、中国だったのである。また絹は、大チベットを越えて（おそらく小チベットや〔ウズベキスタンの〕ブハラを通ってペルシャを越えるなどして）、ヨーロッパに運ばれたのだ。このことは、驚くべき国である中国の古代について、いろんなことを考えさせてくれる。中国の古代を、チベットやチベットを通じて日本と結ばれていたヒンドゥスタンの古代と比較してみればいい。けれども、中国が隣国からシナと呼ばれていたのか、チナと呼ばれていたのか、名前のことを考えても、何も生まれない。——ヨーロッパとチベットの大昔の結びつきは、まだよくわかっていないが、もしかしたら、これについて〔5世

紀ごろのギリシャの文法学者・辞典編纂者〕ヘシュキオスが残してくれている記述、つまり、エレウシスの密儀で祭司が呼びかける、Κονξ Ὀμπαξ（Konx Ompax）（〔カントの友人で批判者のヨハン・ゲオルク・ハーマン（1730～88年）の〕『コンクス・オムパクス〔――聖書外典の巫女が書いた黙示録的密儀の断片〕』〔1779年〕）という言葉から解明されるかもしれない（〔フランスの考古学者ジャン＝ジャック・バルテルミ（1716～95年）〕『アナカルシス旅行記』〔1788年〕のドイツ語訳〕第5部、447ページ以下を参照）。――というのも、ジョルジの『チベットの文字』によると、〔360〕Konx とものすごくよく似ている Concioa という言葉は、神を意味する。Pah-cio（同書、520ページ）は、ギリシャ人には pax と発音される傾向があったと考えられるが、これは法を告知する者〔promulgator legis〕を意味する。自然にあまねく分け与えられた神性（観音（Cencresi）とも呼ばれた。同書、177ページ）のことである。――ところで Om は、〔ベネディクト派からプロテスタントに改宗したフランスの東洋学者〕ラ・クローズ〔1661～1739年〕が祝福された（benedictus）と訳しているが、神性にあてはめてみると、たぶん至福を讃えられた者という意味にしかならない（同書、507ページ）。ところで〔カプチン会の宣教師〕フランティスクス・ホラティウス神父〔1680～1747年〕が、折りにふれてチベットのラマ僧に、神（Concioa）とはどういうことなのか、とたずねたが、答えはいつも「あらゆる聖なる者の集合です」だった（つまり魂が、いろんな種類の体になって数多くの旅をしてから、最後に神性に戻り、ブルハナ〔バラモン〕へと、すなわち崇拝に値する存在へと変身したもの、の集合である。同書、223ページ）。だとすれば、あの不思議な言葉、Konx Ompax は、神聖な（Konx）、祝福された（Om）、賢明な（Pax）、世界にあまねく広がった至高の存在（人格化された自然）を意味することになるだろう。そしてこの言葉がギリシャの密儀で使われたときには、視霊者たちに対して、ギリシャ民族の多神教とは逆の、一神教を暗示していたことになるだろう。もっとも、ホラティウス神父は（同ページ）そこに無神教を嗅ぎつけていたが。——ところで、不思議な言葉がどのようにしてチベットを越えてギリシャ人に届いたのか、は以上で説明することができるが、逆にこのことによって、早くからヨーロッパがチベットを越えて中国と交流していたことも推測される（もしかしたら、ヒンドゥスタンとの交流はもっと早い時期かもしれない）。

[360]（大小の別はあっても）共同体という考え方は、地球のさまざまな民族〔・国民〕のあいだにあまねく行きわたっているので、地球のどこかある場所で権利〔・法〕が侵害されれば、あらゆる場所で感じとられるようになった。だから世界市民法〔・世界市民の権利〕というアイデアは、誇張された空想の法〔・権利〕ではない。国内法および国際法〔・国および諸国民・諸民族の権利〕にかんして、書かれていない法典を補足するものとして不可欠のものなのだ。人類一般の公法〔・みんなに共通する人権というもの〕のために、さらには、永遠の平和のために必要なアイデアである。この条件のもとでのみ私たちは、永遠の平和に向かって近づきつつあるのだ、と胸を張ってもいいのである。

補足 その1　永遠の平和を保証することについて

永遠の平和を保証〔気になる人は「保証」を「保障」と読み替えてください。今回の『永遠の平和のために』では、Garantie 系を「保証」、Sicherung 系を「保障」と訳していま す。小心者の訳者は、Garantie 系を「保障」にする勇気がありませんでした〕するものは、ほかでもない自然という偉大な芸術家（あらゆる事物を巧みに造る自然〔natura daedala rerum（ルクレティウス『事物の本性について』紀元前1世紀）〕）である。自然の、機械のような流れから目に見えるほど明らかなのが、合目的性である。合目的性は、人間たちの不一致を人間たちの意思に反してでも一致させる。合目的性は、自然の作用ルールからいって私たちには未知の動因が強制的に働いていると考えられる場合は、[361] 運命と呼ばれる。世界の流れにおいて自然が目的にふさわしい動きをしているものだと考えれば、合目的性は、人類の最終目的をめざす動因であり世界の流れを予定調和的に定める動因、つまり高次の動因を心得ている深い知恵なので、摂理*と呼ばれる。[362] 合目的性を私たちは、もともと自然の芸術的な支度を手がかりにして認識するわけではない。また、たんにその芸術的な支度から合目的性を推論するのでもない。合目的性を私たちは、（いろんな物の形をいろんな目的に結びつける場合、いつもそうだが）付録のように追加して考えることしかできないし、そうやって考えるだけでよいのだ。すると私たちは、自然の合目的性の可能性を、人間の芸術行為とのアナロジーで理解する。ところで、理性が私たちにストレートに指図する目的（つまり道徳的な目的）に、自然の合目的性が関係・調和していると想像するのは、なかなかのアイデアである。そのアイデアは、理論として考えるなら過激なものだ。が、実地に使うなら（たとえば、永遠の平和という義務概念について、自然のあのメカニズムをそのために利用するには）独断的ではあるが、現実味という点でも十分に根拠がある。——実際、ここでは（宗教ではなく）理論を問題にしている。人間の理性には限界があるので（つまり理性は、結果とその動因の関係について、可能な経験の枠内にとどまるしかないので）、ここでは、自然という言葉を使うほうが、私たちになんとなく分かっている摂理という表現より、適切であるし、謙虚でもある。摂理という言葉を使うということは、私たちが思い上がって、摂理の、測りがたい意図の秘密に近づこうとするようなものだ。〔父親の忠告を無視して、高く飛んで太陽に近づきすぎたため、太陽の熱で翼の蠟が溶けて、エーゲ海に墜落死した〕イカロスが、翼をつけたように。

＊〔361〕（感性をもつ存在として）人間も自然に属するのだが、その自然のメカニズムには、自然の存在の土台にすでになっている形式が姿を見せている。その形式を私たちが理解できるよう

になるためには、自然を事前に規定する世界創造者の目的というものを下敷きにするしかない。その事前規定のことを私たちは（神の）摂理と呼んでいるのである。摂理は、それが世界の初めに置かれるという意味では、創設する摂理（providentia conditrix）と呼ばれる（「ひとたび神に命じられれば、みなはそれに従う（semel iussit, semper parent）」アウグスティヌス〔とカントは書いているが、実際は、アウグスティヌスの言葉をちょっと変えたセネカから引用している〕）。また、摂理が自然の流れのなかで、その流れを合目的性の一般ルールに従って維持する場合は、支配する摂理（providentia gubernatrix）と呼ばれる。さらに、人間には予知できず、成果から推測するしかない個別の目的にからんでいるときには、導く摂理（providentia directrix）と呼ばれる。最後に、個々の出来事すら神の目的であると考えるときには、もはや摂理とは呼ばれず、天の配剤（directio extraordinaria〔異例の導き〕）と呼ばれる。けれども、（なにしろこの場合、出来事は奇跡とは呼ばれないが、実際には奇跡が暗示されているわけだから）天の配剤を天の配剤であると認識しようとすることは、愚かな人間の思い上がりである。なぜなら、単独の出来事からそれをもたらした動因について個別原理を推測することは（つまり、「この出来事は神の目的なんです。別の、私たちにはまったく未知の目的から、自然のメカニズムによって付随して生じた結果にすぎないなんてことはありません」と主張することは）、つじつまが合わないのだから。またそういう推測は、どんなに信心深く謙虚な言葉を使っていても、まったくの自惚れなのだから。――まったく同様に、摂理がいろんな対象にどのようにかかわっているのか、（マテリアルの面から見て）摂理を、一般の摂理と個別の摂理に分類することも

(たとえば、「摂理は、被造物を類として維持する配慮はするけれど、個体の維持は偶然にまかせます」と言うことも)、間違っているし、自己矛盾である。というのも、摂理というのは、どんな個体をも摂理から排除しないで考えるために、まさに一般を意識して用いられる言葉なのだから。――どうやらここでは、摂理がどのように実現されるのか、(形式の面から見て)摂理を、異常の摂理(たとえば、四季の変化によって毎年、自然が死んでは再生するということ)と、通常の摂理(たとえば、氷の海岸に木が打ち上げられること。木は氷の海岸で育つことができないが、海流に運ばれた木のおかげで、その海岸の住民が生活できる)に分類することを考えていたようだ。異例の摂理の場合、私たちはその現象の動因を自然現象のメカニズムとしてちゃんと説明することができる(たとえば、温暖な土地の川岸に木が生い茂っていて、その川に木が落ちて、たとえばメキシコ湾流に乗って、運ばれていく、といった具合に)。しかしそれにもかかわらず、私たちとしては、自然に命令する知恵の配慮が働いているのではないか、というような目的論的な動因も無視する必要はない。――ただし、神が感性界でなんらかの作用に助力または共力(concursus)するという概念が、学校ではよく使われているが、その概念には消えてもらうしかない。たとえば、次のような例を考えてみるといい。異種のものをペアにしようとすること(gryphes iungere equis)〔ウェルギリウス〕(「翼と上半身がワシで、下半身がライオンの怪獣」グリフィンと馬を同じ馬車につなぐこと)。本人だけで世界を変える完全な動因なのに、[362] その本人があらかじめ決定していた摂理を、世界が変転している最中に、その本人に修正させること(ということは、あらかじめ決定していた摂理に欠陥があったにちがいない、ということになるだろう)。たとえば、「神様の次にお医者さんが患者を治したんです。助太刀したわけですから」と言うこと。こういう例は、まず第1に、自己矛盾している。というのも、単独の原因は役に立たない〔causa solitaria non iuvat(何も助けない)〕からである。神は、医者および医者が使うすべての薬の創始者だ。とするなら、私たちが、理論的には理解できない至高の根本原因にまで上りつめようとすると、患者が治ったという結果はすべて神のおかげということになってしまう。逆に、すべてを医者のおかげにすることもできる。私たちがこの出来事を追跡するとき、世界の原因の連鎖のなかで自然の秩序に従って説明できるものだとする場合に限られるけれど。第2に、このような考え方では、ある効果を判断するときに特定の原理をすべて消すことになる。けれどもモラル=実践の見地では(ということは、感性を超えたことに目を向けてみると)、どうなるか。たとえば、「私たち自身の正義に欠けるところがあっても、神様は、私たちの心がけが純粋でありさえしたならば、私たちには理解しがたい手段で、私たちに欠けているところを補ってくださるでしょう。ですから私たちは善に向かう努力をなにひとつなおざりにしてはいけないのです」と信じている場合、神の助力〔Concursus〕という概念は、まったく適切であり、それどころか必要でもある。しかしその場合、おのずから明らかなことだが、善行を(世界における出来事として)この概念から説明しようとする必要はない。そんな試みは、感性を超えたことを理論で認識するのだと言い張ることだから、つじつまが合わない。

[362] 永遠の平和の保証をもっと詳しく規定する前に、私たちは、自然という大きな舞台

でふるまう人物のために自然が支度した状態を、あらかじめ確かめておくことが必要だろう。〔363〕その状態によって最終的には、永遠の平和の保障が必要不可欠になるのだが。――しかし、とりあえずまず、自然が永遠の平和をどんな具合に保証しているのか、を確かめておこう。

自然が暫定的に支度したのは、次のようなことだ。(1)自然は、人間たちが地球のどの地域でも生活できるように配慮した。――(2)人間たちを戦争によって、あらゆる場所へ、まるで生活できそうにない地にまで追い立てて、そこで集団で住むようにさせた。(3)――同じく戦争によって無理やり、人間たちに多かれ少なかれ法的な関係をもつようにさせた。――氷の海に面した寒い荒原にもコケが生えている。そのコケをトナカイが雪の下から掘り出して食べる。そしてトナカイは、オスチャーク族〔ハンティ人の旧称。西シベリアのウラル系民族〕やサモエード人〔シベリアのツンドラに住む先住民〕の食料になったり、そりを引かされたりする。ラクダは砂漠を旅するために創造された動物であるかのように思えるが、塩分の強い砂漠も、旅に使ってもらいたいので、ラクダに〔必要な食料を〕含んでいる。このことだけでも驚嘆に値する。さらに、氷の海の海岸には毛皮のある動物のほかに、アザラシやセイウチやクジラがいて、肉がその地の住民の食料になり、油が燃料になっていることに気づくと、もっとくっきり自然の目的が浮かび上がって見えてくる。しかし自然の配慮に一番驚かされるのは、流木である。(どこから流れてくるのか、よくわからないが)

流木というマテリアルを、木の育たない地域に自然が運んでくれなければ、そこの住民は、そりも武器も、住居となる小屋も作ることができないだろう。おかげで住民は、動物と戦うことで満足し、人間どうしでは平和に暮らしているのである。――ところで、どうして住民はそんな地にまで追い立てられたのか。おそらく戦争によってでしかないだろう。人間が地上の住人になって以来、飼い慣らして家畜にするようになった動物すべてのなかで、最初に戦争の道具にされたのは、馬である（象がそうなったのは、もっと後のことで、国が樹立されるようになり贅沢を競う時代の話だ）。同様に、現在の私たちには、原種の性質から見分けがつかなくなっている種類の草が、穀物と呼ばれているわけだが、その穀物の栽培技術とか、また同様に、（もしかしたらヨーロッパには、野生のリンゴと野生のセイヨウナシという2種類しかなかったのかもしれないが）移植や接ぎ木によって果物の種類を増やしたり改良すること、とか。そういうことは、国というものが樹立されて、土地所有が保証された状態でしか可能にならなかった。――こういう状態になる前まで人間は、法のない自由な状態で、狩人として、漁師として、牧人として生活してから、農耕生活をするようになっていたのだが、[364] 塩と鉄が発明されて、さまざまな民族の商取引で遠く広く求められる最初の商品となった。商取引をすることにより、さまざまな民族ははじめてお互いに平和な関係をもつようになった。そうやって、たとえ遠く離れた民族とでも、お互いに了解しあい、協調して、平和な関係になったのである。

＊　あらゆる生活様式のなかで疑いもなく狩猟生活が、開化された体制にもっとも反したものである。なぜなら狩猟生活では、それぞれの家族が家族単位で離れ離れになっておく必要があり、〔364〕場合によってはお互いに疎遠となって、やがて広い森のなかに分散したり、また場合によっては敵対関係になったりするからだ。なにしろどの家族も、自分たちの食料と衣料を手に入れるためには広い空間が必要だから。——旧約聖書『創世記』9・4〜6に書かれているノアの血の禁止〔「ただし、肉は命である血を含んだまま食べてはならない。また、あなたたちの命である血が流された場合、わたしは賠償を要求する。いかなる獣からも要求する。人間どうしの血については、人間から人間の命を賠償として要求する。人の血を流す者は人によって自分の血を流される。人は神にかたどって造られたからだ」〕は、もともとは狩猟生活の禁止にほかならなかったと思われる（この血の禁止は、しばしばくり返されている。後になって、ユダヤ人キリスト教徒は、別の意図でだが、異教徒がキリスト教に改宗する場合にさえ、血の禁止を条件にした。新約聖書『使徒言行録』15・20〔「ただ、偶像に供えて汚れた肉と、みだらな行いと、絞め殺した動物の肉と、血とを避けるようにと、手紙を書くべきです」〕、21・25〔「また、異邦人で信者になった人たちについては、わたしたちは既に手紙を書き送りました。それは、偶像に捧げた肉と、血と、絞め殺した動物の肉とを口にしないように、また、みだらな行いを避けるように、という決定です」〕——）。狩猟生活では、肉を生で食べる機会がよくあるにちがいないので、肉の生食と同時に狩猟生活が禁止されるのだ。

ところで自然は、人間が地上のどんな場所でも生活できるように配慮したけれども、それと同時に専制君主のように自然は、人間に、そこが好きでなくても、どんな場所でも生活するべきである、と望んだのだ。そして、その「べきである」は、モラルの掟によって人間を縛るといった義務の概念を前提にしていない。――そのかわり自然は、自分のその目的を達成するために、戦争を選んだ。――そのことは、言語が同じであることから系統が同じだとわかる民族を見れば、説明できる。たとえば、サモエード人は氷の海の海岸で生活しているが、その一方、サモエード人と似たような言語をもつ民族が、200マイル離れたアルタイ山脈で生活している。この2つの民族のあいだに、別の、騎馬民族だから好戦的なモンゴル民族が割り込んで、2つの民族の一方〔サモエード人〕を、もう一方から遠く離れた、まるで生活できそうにない氷の地に追いやったのである。もちろんサモエード人は、好き好んで、その地へ流れていったわけではないだろう。*――同じように、ヨーロッパの北端にいるフィン人は、ラップ人と呼ばれるが〔今日では「サーミ人」と呼ばれるが〕、今ではすっかり遠くにいるけれど言語ではフィン人と親戚関係にあるハンガリー人と分断されている。〔365〕それは両者のあいだに、ゴート族とサルマティア人〔「サルマタイ」とも呼ばれる〕が割り込んだからだ。また、（もしかしたらヨーロッパ最古の冒険者かもしれず、アメリカ原住民とはまったく違う民族である）エスキモー〔イヌイット〕がアメリカ大陸の北に追いやられ、また、ペシュレ人〔フエゴ島の先住民〕がアメリカ大陸の南に、さらには〔世界最南端の〕フエゴ島にまで追いやられたのは、たぶん、戦争のせいとしか考えられないのではないか？　人間をあらゆる場所に住まわせる手段として、戦争を自然が使うのだ。けれども戦争そのものには、特別なきっかけは必要ない。人間の本性に接ぎ木されているように思えるからだ。しかも戦争は高貴なものとさえ考えられているらしい。人間は、利己心というゼンマイを巻かれなくても、名誉心に鼓舞されて戦争へと駆られる。だから、戦闘心は（アメリカの未開人にもあるし、ヨーロッパの騎士時代にもあったが）、戦争をやっているとき（にあるのは当然だが）だけでなく、戦争をやるためにも、文句なしに大きな価値があるものであると判断されるのだ。戦争はしばしば、戦闘心を示すためにだけ始められる。だから、戦争そのものにはすでに内的な尊厳があるとされるわけだ。それどころか、哲学者までもが戦争を、人間性を高貴にするようなこととして、賛美する始末である。「戦争はひどい。悪人を片づけてくれるが、もっとたくさんの悪人を生むので」という、あのギリシャ人〔たぶんアンティステネス（前４４６～前３６６年）〕の格言を忘れて。――自然が人類を動物界の一員と見て、自分の目的のためにやっていることについては、これくらいでいいだろう。

＊　こんな質問があるかもしれない。「もしもですよ、自然が、その氷の海岸を人が住めるようにしたままにしておくつもりだとして、でも将来（予想できることだけど）、自然がそこの住民に

流木を運ばないようになったら、どうなるんでしょうね、そこの住民たち？　だって、文化が進めば、温暖な地域に住む連中が、自分たちの川岸に生える木を、もっとうまく利用するようになる。すると、木を川に落とさず、海流に運ばせることがなくなる、ってことも考えられるわけだから」。そう言われたら、私はこう答えるだろう。「オビ川や、エニセイ川や、レナ川などの沿岸に住んでる人たちが、商取引で木を運んであげるだろうね。そのかわり、氷の海岸には海産物が豊富だから、それを手に入れる。でも、その前にはまず自然が、無理やりにでも、両方の住民のあいだを平和にしておかなくちゃならないだろうけど」。

さてここで、永遠の平和を意図することについて本質的な質問がある。「自然が永遠の平和を意図するときにですね、いいかえれば、人間の理性が人間に永遠の平和を目的にする義務を負わせるために、したがって、人間に道徳的になろうという気持ちをしっかりもたせるために、自然は何をしているのですか？　またですね、人間が自由のルールに従って実現するべきなのに、実現していないことがあります。その自由を傷つけられることなく、でも〈あなたはやるでしょう〉と自然に強制されながら、人間が実現することは保障されている。しかも、国法、国際法、世界市民法という3つの公法すべてに関連して。それを、自然はどのようにして保証しているんですか？」――私が自然について「自然は、これこれのことが起きることを欲している」と言うときは、次のような意味でしかない。自然は、私たちにそれをする義務を負わせているのではない（というのも、義務を負わせることができるのは、強制しない実践理性だけだから）。そうではなく自然は、私たちが望むと望まざるとにかかわらず、自分でそうするのだ（運命は、従う者を導き、従わぬ者を無理やり引きずっていく〔fata volentem ducunt, nolentem trahunt（セネカ『倫理書簡集』）〕）。

1　ある民族が、内部の不和のせいで公法を整える必要に迫られていないとしても、戦争があれば、外からその必要に迫られるだろう。すでに述べたように自然による配置により、どの民族も、隣にはその民族を圧迫する別の民族がいるので、その民族に対抗するためには、内部でひとつにまとまって国になるしかない。[366]権力となって隣国に対抗して軍備を整えるのだ。ところで、共和制が、人びとの権利に完全にふさわしい唯一の体制なのだが、共和制は、樹立することが、いやむしろ維持することが、一番むずかしい体制である。「共和国は天使たちの国にちがいない」と、多くの人〔たとえばルソー〕に言われるくらいだ。なぜなら、人間は利己的な傾向をもっているので、共和制のように崇高な形式をもつ体制には耐えられないだろうからだ。ところがそこへ自然が助けにやってくる。理性にもとづき誰もがもっている意思は、尊敬されているものの実践には無力なのだが、その意思を自然が、しかもまさに人間の利己的な傾向を利用して、助けてくれるというのだ。国をうまく組織することだけが大事なのだから（もちろんこれは人間にはできることだ）、人間の利己的な傾向がもつ力をお互いに対抗させて、一方が他方の破壊力を阻止したり相殺したりして、結局、理性の目には、双方のそういう力がまるで存在していなかったように見えるようになる。そうやって人間は、「道徳的によい人間であれ」とまでは強制されないにしても、「よい市民であれ」と強制されるのだ。国を設立するという問題は、とてもむずかしいように思われるが、悪魔族でも、(悪魔たちが悟性をもってさえいれば) 解決できる問題である。つまり、こういう問題だ。「理性をそなえた人がたくさんいて、それぞれの自己保存のため、全体としては一般ルールを求めているが、各人はひそかに一般ルールから逃れようとする傾向がある。その場合、その人たちは個人的にはお互いに対抗心があるけれど、その対抗心を抑制して、結果的には、公の場ではお互いに悪感情はもっていないかのようにふるまえば、成功なのだから、そうなるように、その人たちをどう組織して、どんな体制をつくるのか」。この種の問題は解決可能にちがいない。というのも、これは人間を道徳的に改善することではなく、たんに自然のメカニズムの問題にすぎないのだから。つまり、民族のなかで、平和でない心情の反目をなくし、強制ルールをつくってみんなで強制的に従うことにすれば、ルールが効力をもつ平和な状態になるにちがいない。そうなるには、どのように自然のメカニズムを人間に利用すればいいか。それを知ることが課題なのだ。この問題は、きわめて不完全に組織されている現存のいろんな国にも見ることができる。それらの国は、対外的なふるまいではすでに、法の理念が指図するものに大いに近づいているけれど、もちろん内面のモラルがその国の組織化のきっかけではない (実際、モラルから、よい国の体制が期待できるのではなく、むしろその逆で、よい国の体制があってはじめて、よいモラルが国民に生まれることが期待できるのだ）。したがって、利己的な傾向は対外的には自然にお互いに敵対しあうものだが、その自然のメカニズムを手段として理性が利用することができる。〔367〕そのメカニズムによって、理性自身の目的が実現される、つまり法の指図が実行されるようになる。とともに、国の力が及ぶ範囲でだが、国内の平和と対外的な平和が促進され、保障されるようになる。——つまり、こういうことである。自然は、法が最終的には最高権力をもつことを欲するのだが、誰もそれに抵抗できないのだ。今ここで私たちがぐずぐずとやらずにいることも、最終的にはひとりでにやられてしまうのだ。面倒なことがいっぱい起きるとしても。——「葦を強く曲げすぎると、折れる。多くを望みすぎる者は、何も望んでいない」〔フリードリヒ・〕バウタヴェーク〔1766〜1828年。カントの弟子で、ゲッティンゲン大学の哲学の教授で詩人。だが、カントが引用しているフレーズは、ゲッティンゲンの詩人ゴットフリート・ビュルガー（1747〜94年）のものらしい〕。

2　国際法のアイデアは、それぞれ独立して隣り合わせている多くの国が分離していることを前提にしている。そういう状態は、（それらの国が連邦のようにひとつになっていて、敵対行為の勃発を予防していないなら）もうそれだけで戦争の状態であるけれども、理性のアイデアからすると、それらの国が融合しているよりも、ましである。なぜか？　融合は、ひとつの国の権力が、他国の権力より大きくなって、世界規模の君主国になろうとするときに起きる。法は、統治の規模が大きくなると、ますますその重みを失うからだ。また、心のない専制政治は、善の萌芽を根絶やしにしてしまうと、最終的には無政府状態になってしまうからだ。しかしそういう状態を、どの国も（または、どの国のボスも）望んでいる。そうやって自国の平和な状態を維持して、できることなら、全世界を支配したいのだ。けれども自然が欲しているのは、別の状態である。――自然は、諸民族の混合をふせぎ、諸民族を分離しておくために、２つの手段を使う。言語の違いと宗教の違い*を使うのだ。これらの違いは、お互いに憎悪しあう傾向と戦争の口実をもっている。けれども、文化が育って、いろんな原理についてもっと大きな点で人びとがじょじょに一致するようになると、言語と宗教の違いによって、平和が同意されるようになっていく。その平和は、あの独裁制のように（自由が葬られている墓地で）すべての力が衰弱することではなく、すべての力がじつに生き生きと競いあうことによって生まれる均衡から、もたらされ、保障されるものなのである。

＊　宗教の違いというのは、奇妙な表現だ！　まるで、道徳はいろいろで違いがあります、と言うようなものだから。たしかに、さまざまな種類の信仰があるだろう。それは歴史上の手段であって、宗教に関するものではない。布教のために使われる物語・歴史に関する手段であり、教義の分野に関する手段である。だから信仰の種類と同じように、さまざまな教典（〔ゾロアスター教の〕『アヴェスター』、〔ヒンドゥー教の〕『ヴェーダ』、〔イスラム教の〕『コーラン』など）があ

るだろう。しかし宗教としては、すべての人とすべての時代に通用する、ただひとつの宗教があるだけである。だから、さまざまな信仰や教典に含まれているのは、宗教を運ぶ乗り物でしかないだろう。その乗り物は、偶然の産物であり、時代や場所が違えば、その種類もさまざまになる。

[368] 3　一方で自然は、賢明にも諸民族を分断する。どの国も本音では、なんと国際法をさえ理由にして、策略や武力をもちいて諸民族をまとめ、できることなら自分の下におきたいと思っている。他方で自然は、お互いの利己心をくすぐることによって、諸民族をひとつにまとめもする。世界市民法の概念では、諸民族を武力沙汰や戦争から守れなかっただろうから。しかし商業の精神なら、それができる。商業の精神は戦争と両立することができず、遅かれ早かれ、どの民族をも支配するからだ。つまり、国の権力に従属しているすべての力（手段）のなかで一番信頼できるのがお金の力だから、各国は（もちろん、かならずしも道徳のゼンマイに巻かれるわけではないだろうが）、高貴な平和を促進せざるをえなくなる。そして、たとえ世界で戦争が勃発しそうになっても、あたかも各国はずっと同盟関係にあるかのような顔をして、いろんな調停により戦争を回避せざるをえなくなる。というのも、戦争をするために各国が大きくひとつにまとまることは、事の本質からいって、きわめてまれにしか起きないことだし、起きたとしても、うまくいくことは、もっとまれなのだか

ら。――こんなふうにして自然は、人間の傾向にそなわっているメカニズムをもちいて、永遠の平和を保証しているのである。もちろん、永遠の平和という未来を（理論的に）予言できるほどには確実ではないが、実際には十分に確実である。だから、永遠の平和という（たんなる〔頭はライオン、胴はヤギ、尻尾は竜の〕怪物（キマイラ）ではない）目的にむかって努力することが義務になっても、大丈夫なのだ。

補足 その2　永遠の平和のための秘密条項

〔永遠の平和のための〕公法を審議した記録に秘密条項があるというのは、客観的に見て、つまり公法という内容から考えて、矛盾している。けれども主観的に、この公法を口述筆記した人物の資質から判断すれば、秘密があるということさえ十分に考えられることだろう。なぜなら、この公法の起草者（デザイナー）として名乗ることは、自分の品位にとって憂慮すべきことだ、と口述筆記人が思うからである。

そういう秘密条項はひとつしかなく、その内容はこんな文章になる。公の平和を可能にする条件について哲学者たちが考えた格率は、戦争のために軍備をした各国が、忠告として耳を傾けるべきものである。

国には、当然のことながら、最高の知恵が提供されているにちがいない。しかし国の立法をあずかる権威が、他国に対するふるまい方の原則について臣下（哲学者たち）に助言を求めても、小物に見えることはない。それどころか助言を求めることは、[369] きわめて得策なのだ。だから国は、暗黙のうちに（つまり「このことはご内密に」と言って）哲学者たちに助言を要請することになるだろう。つまり、こんな具合になるにちがいない。国は哲学者たちに、戦争の遂行と平和の樹立にかんする一般的な格率を、自由に話してもらうのである（哲学者たちは、禁止されてさえいなければ勝手に、自由にオープンに話すだろう）。そして、戦争や平和にかんして各国が一致するためには、その件について各国間の特別な協定など必要がない。一致することは、人間みんなにそなわっている（道徳的で、法を作る）理性からすれば、義務なのだから。――だからといって、国は、哲学者の言う原則を法律家（国の権力の代理人）の発言に優先させる必要はない。哲学者の言葉に耳を傾けるだけでいいのだ。法律家のシンボルは、法の秤と、それから正義の剣だった。が、法律家が剣を使うのは概して、たとえばたんに法に対する外の影響をすべて防ぐためだけでなく、秤の皿の一方が沈もうとしないときに、その皿に剣を載せるためでもある（哀れだな、負けた者は〔vae victis（ガリアの族長ブレヌスの言葉。リウィウス『ローマ建国史』（前17年頃）によると、紀元前387年、ローマに勝ったガリア側がローマから撤退する賠償金を要求したとき、賠償金を測る秤が小細工されているとローマ側が不平を言ったので、ブレヌスが自分の剣を秤の皿に載せて、釣り合わせた）〕）。剣を使うことに最大の誘惑を感じるのが法律家であって、その法律家は（職業道徳からいっても）哲学者ではない。なぜなら、法律家の職務は、現行法を適用することだけであって、現行法に改善が必要かどうかを調べることではないからである。また法律家が、実際は高ランクではない法学部を、法律家には権力がともなうので、高ランクだと思っているからである（権力がともなう学部は、ほかにも2つある

〈医学部と神学部〉)。――哲学部は、それらの学部の権力同盟に押さえつけられて、非常に低いランクに甘んじている。だから哲学は、たとえば「神学の侍女である」と言われている(ほかの2つの学部からも同じように言われている)。――しかし、「侍女が灯りを持って奥様より先を歩いているのか、それとも奥様の裾を持っているのか」。それはよくわからない〔カントは『諸学部の争い』(1798年)でこんなふうに書いている。「また必要とあれば、神学部の〈哲学部はわれわれの侍女である〉という誇り高い発言を認めることもできる(けれども、あいかわらず問題が残っているのだ。〈侍女が灯りを持って奥様より先を歩いているのか、それとも奥様の裾を持っているのか〉)」〕。

王様が哲学をする。あるいは哲学者が王様になったりする。そんなことは期待できないし、また望むこともできない〔マルクス・アウレリウスやフリードリヒ大王という例外もあるが〕。なぜなら、権力をもつと、理性が堕落して自由に判断できなくなることが避けられないからだ。しかしいろんな国で、王様が、あるいは(平等の原則によって自分で自分を支配する)王様のような民衆が、哲学者たちの階級を消したり、黙らせたりしないで、哲学者たちにオープンに話すようにさせるなら、それは、双方にとって、それぞれの仕事を照らすことになるので、なくてはならないことだ。また、哲学者たちの階級は、その性質からいっても、暴徒になったり、徒党を組んだりすることができないので、「プロパガンダじゃないか」と陰口をたたかれる心配もない。

[370]

付　録

I　永遠の平和を考えるときの、モラルと政治の不一致について

モラルというものをそれだけで考えるなら、モラルとは、客観的な意味で実践するものである。私たちにそのようにするべきだと、無条件に命令するルールの化身が、モラルである。「するべきだ」という義務の概念に権威を認めてから、「でも私にはそれができません」と言おうとするなら、明らかにつじつまが合わない。というのも、その場合は、モラルから義務の概念が勝手に抜け落ちるからだ（誰だって本人の能力以上の義務を負うことはない〔ultra posse nemo obligatur（『ローマ法大全』にある文言は「不可能なことについては義務はない（Impossibilium nulla obligatio est）」）〕）。そうすると、実地の法学である政治と、理論の法学であるモラルのあいだに争いはありえない（とすると、実践と理論のあいだにも争いはありえない）。ただし、モラルを、一般的な利口の教え〔戦略論〕だと理解してしまうなら、争いが生まれる。つまり、自分の利益を計算して一番うまい手を選ぶための格

率の理論がモラルということなら、「モラルというものがあるのだ」という考えが否定されてしまうだろう。

政治は、「ヘビのように利口であれ」と言う。モラルは、(その条件として)「そしてハトのように素直であれ」とつけ加える〔新約聖書『マタイによる福音書』10・16「私はお前たちを遣わす。それはヒツジをオオカミのなかに送るようなものだが。だから、ヘビのように利口であれ。そしてハトのように素直であれ」〕。もしも政治の命令とモラルの命令が一緒になってひとつの命令になれないなら、実際に政治とモラルの争いになる。けれども、そのふたつの命令がひとつになっているべきだと考えるなら、ふたつが対立していると考えるのは馬鹿げたことであり、「どうやったら争いを調停できるか」という問いを課題にすらできない。「誠実さこそ最良の政治だ」という文章には、理論が含まれている。残念ながら! 非常にしばしば実地と矛盾する理論だが。だが、同じく理論を含んだ文章、「誠実さはあらゆる政治に勝る」は、あらゆる異論をどこまでいっても寄せつけない。それどころか、あらゆる政治にとって避けることのできない条件なのだ。モラルの境界神は、(権力の境界神)ユピテルには屈服しない。というのもユピテルはまだ運命の支配下にあるからだ。いいかえれば、理性の輝度はまだ十分ではないので、運命を予定する動因たちの行列を見通すことができないからだ。見通すことができれば、人間の行状から、(願いどおりになることを望みながらではあるが)幸せな結果になるのか、ひどい結果になるのかを、自然のメカニズムによって確実に予知できるのだが。しかし、人間が（知恵のルールにもとづいて）義務の軌道にとどまっているために何をするべきかについて、そしてまたそうすることによって最終目的にたどり着くためにも、理性が私たちの前を照らしてくれる輝度は、十分に明るい。

〔371〕ところで実際家は（実際家にとってモラルなど理論にすぎないのだが）、私たちの善良な希望を（永遠の平和は実現するべきだから実現できる、という私たちの考えを認めたとしても）、慰めもしないで否認する。そもそも否認の理由は、実際家には人間の本性から予測できることらしいが、「人間は、永遠の平和に導く目的を実現するために要求されるあれこれを、けっして欲しようとはしないだろう」というものである。――もちろん、ひとりひとりの人間がみんなで、法体制のなかで自由の原理に従って生きること（みんなの意思の分散的な統一）を欲しても、永遠の平和という目的のためには十分ではない。そうではなく、みんなが一緒になってその状態を欲すること（ひとつになった意思の集合的な統一）が要求される。市民社会が全体としてひとつにまとまるためには、むずかしいこの課題の解決が必要だ。だから、共同体としてひとつの意思を打ち出すためには、みんなの意思が粒子のように別々で違いがあるという段階を超えて、ひとつにまとめてくれる動因の到来がどうしても必要になる。だが共同体の意思は、誰ひとりとして打ち出すことができない。というわけで、（実際に）あのアイデアを実行するさいには、法的な状態の幕開けは暴力に頼ることになる。その強制力を土台にして公法が後から生まれるのだ。このようにして現実の経験では

（理論上の）あのアイデアから大きく外れることは、もちろん、あらかじめ予想のつくことである（その場合、いずれにしても立法者のモラルなんて、ほとんど当てにできないのだから。立法者が、混乱した大勢の人をひとつにまとめて国民にした後、国民の共同意思によって法体制をつくることを、国民にまかせるだろう、などとは考えられないのである）。

だから次のように言われることになる。ひとたび権力を手にした者は、国民に法を定めさせたりしないだろう。国も、国外の法に支配されない力をひとたび手に入れると、他国に対して自国の権利を求めようとするときには、他国の法廷に従属するような方法をとらないだろう。大陸だって、自分の邪魔をしていない別の大陸があって、その大陸に優位を感じているときには、その大陸から略奪することによって、それどころかその大陸を支配することによって、自分の力の増強のための手段を利用しないではおかないだろう。そうなると、国法、国際法、世界市民法のための理論のすべてのプランが、内容空疎で実行不可能な理想となって消えてしまう。それとは逆に、実践なら、人間の本性の経験原理にもとづいているので、世間が実際にどう動いているのかを、格率の手引きとしても、低俗すぎるとは思わない。だから実践だけが、国家戦略〔国の利口さ〕という建物のための、確実な土台を見つけることを期待できるわけだ。

[372] もちろん、もしも自由がなく、自由にもとづいたモラルのルールもなく、起きること・起きうることのすべてが、たんなる自然のメカニズムにすぎないなら、（自然のメカニ

ズムを人びとの統治に利用する技術としての）政治は、実践の知恵にすぎなくなり、法の概念は、内容空疎な思想にすぎなくなる。けれども法の概念を、しかし政治と結びつけることが、いや、政治を縛る条件にまで高めることが、必要不可欠だと思うなら、法の概念と政治の両立を認める必要がある。たしかに私は、モラルのある政治家を想像することができる。つまり、国家戦略〔国の利口さ〕の原則を、モラルと両立できるように考える政治家のことだ。だが私は、政治的なモラリストを想像することはできない。政治家の利益になるようにモラルを鋳造する人間だからだ。

モラルのある政治家が自分の原則にするのは、こういうことだろう。国の体制や国際関係に、防ぐことのできなかった欠陥が生じた場合、とくに国のボスとして考える義務があるのは、たとえ自分の利己心を犠牲にすることになっても、どうやってその欠陥を、できるだけ早く改善することができるのか、そして理性で考えるとお手本のように私たちの目に見えるようなかたちで、自然法に適うようにできるのか、ということである。さて、国民や世界市民をひとつにしている絆のかわりに、その絆よりすぐれた体制になる準備ができていない場合のことを考えよう。その絆を断ち切ることは、あらゆる、この場合ではモラルとも一致する国家戦略〔国の利口さ〕に反するわけだから、問題の欠陥をただちに激しく修正しろと要求することは、たしかにつじつまが合わないだろう。けれども、（法のルールに沿った最善の体制という）目的にたえず近づいていくためには、すくなくとも権力者の胸に「こういう修正は避けようのないことだ」という格率がしっかり刻まれていることを、要求することができる。たとえ国に、現行の憲法によると独裁的な支配権があるとしても、国の統治を共和的にすることはきっとできるのだ。しだいに国民は、法の権威というたんなるアイデアに影響されるようになり（まるで法には物理的な力があるかのようだ）、そうなると自分たちも「ちゃんと立法ができるんだ」と思うようになる（立法はもともと法にもとづいているのだが）。もしもかりに、悪い体制のせいで起きた怒濤の革命によって、以前よりも法に適った体制が非合法に成立している場合でも、国民を以前の体制へ戻すことが許されるとは、もはや考える必要はないだろう。ただし、[373] 革命の最中に暴力や悪だくみを働いた者は、当然、騒乱の罪で罰せられることになるだろうが。しかし、国際関係についていえば、ある国が他国にすぐ併合される恐れがある場合は、その国に対して、たとえその国の体制が独裁的であっても、その体制をやめるように求めるべきではない（外敵ということになると独裁制のほうが強いのだから）。だから、共和制への移行をめざしても、その実行をもっと都合のいい時機まで延期することは許容する*しかない。

* これが、理性の許容ルールである。公法に不公正を背負い込んでいる場合、すべてが完全に変革されるまでひとりでに成熟するか、または平和な手段で成熟に近づけられるまで、公法をそのままの状態にしておくのだ。なぜなら、体制は、ほんのわずかな程度で法に適っているだけで

も、法的であるほうが、まるっきり法的でないよりましだからである。急ぎすぎた改革は、まったく法的でない体制の（無政府状態の）運命に見舞われるだろう。――というわけで、国の知恵は、現状を無視しないで、公法の理想に適った改革をすすめることを義務にするだろう。しかしそのとき、革命が自然発生した場合、国の知恵は革命を、さらなる弾圧の口実にするのではなく、自然の呼びかけであるとして利用するだろう。徹底的なリフォームによって、自由の原理にもとづいた法的体制を、持続可能な唯一の体制として実現するために。

だから、いつものことだろうが、独裁的な政治をやっている（実行力に欠ける）モラリストは、（対策の採用や推奨を急ぎすぎたりして）いろんな点で国家戦略〔国の利口さ〕と衝突する。けれども、そうやって自然との衝突を経験することにより、モラリストはしだいにまともな軌道を進むようになる。これとは逆に、モラルを説く政治家は、「人間の本性は、理性が定めるようなアイデアどおりに良いことをするなんて無理ですね」という口実のもとに、法に抵触する国の方針をいくつも、可能なかぎり美化することによって、国が良くなることを不可能にして、法を傷つけることを忘れがたいものにする。

国家戦略〔国の利口さ〕にかかわっている人たちは、実践を自慢するが、実際にやっているのは実践ではなく、たんなる策略である。（自分の私益をそこなわないよう）今の支配権力に都合のいいことを言って、国民を、いや、もしかすると全世界を犠牲にする。政治をやっているんだと鼻をふくらませても、まさにそれは法律家の流儀である（といっても実務の法律家であって、立法にたずさわる法律家ではない）。というのも、実務法律家の仕事は、立法そのものについて理屈をこねることではなく、現行の〔フリードリヒ大王が1794年に出したプロイセン王国全般にかかわる〕ラント法の命令を実行することなので、連中にとっては、今ある法体制が、つねに最善の法体制ということになってしまうから。その法体制が当局によって変更されると、変更された法体制が最善のものになるわけである。こうしてあらゆることが、〔374〕ふさわしい機械的な秩序に組み込まれる。しかし、そんなふうにしてどんな鞍でも上手に乗りこなせるようになると、連中は、国の体制の原理というものにかんしても、法概念によって（ということは経験的にではなく、ア・プリオリに）判断できるのだと妄想しはじめる。そして連中は、（多くの人とかかわるから、もちろん考えられることだが）いろんな人を知っているんだと大いに自慢するけれども、実際には人間というものを、また、人間がどんな人間になる可能性があるかということを知らないまま（そういうことを知るには、人間学的な観察という高い立場が必要だ）、自分の人間観をぶらさげて、理性が定めるような国法や国際法に手を突っ込む。こういう場合、連中は、権力を笠に着た嫌がらせの精神でしか越権できない。つまり、（独裁的にあたえられた強制ルールのメカニズムによる）手慣れた手続きをするだけなのだ。けれども理性の概念なら、自由の原理から見て適法な強制だけを土台にしようとする。その強制があってともかくまず、当然のことながら安定した国の体制が可能になるからだ。その課題を、実践が口先だけの策略家は、理性のアイデアを無視して、経験によって解決できると思っている。つまり、これまで一番もちこたえてきたけれど、いろんな部分で法に反していた国の体制が、どんな具合に整備されてきたのか、を経験したのだから。――そのために策略家がもちいている格率は、(公開されるわけはないが) だいたい次のように、詭弁家(ソフィスト)のような格率になる。

1　実行してから弁明せよ〔Fac et excusa〕。(自国の民または隣国の民に対する国の権利を) 独占する絶好の機会をつかむのだ。正当化は、実行後のほうがはるかに簡単で優雅にできるだろう。暴力も美化できるだろう (とくに自国の民が相手の場合、国内で上位の権力は、ただちに立法の当局ともなり、みんなは、あれこれ屁理屈をこねることもなく従うにちがいない)。このやり方のほうが、事前に納得できる理由を考えて、その理由に対する反論を待つよりも、手っ取り早い。このような厚かましいやり方のほうが、ある意味では、行為の合法性を心から納得しているかのような印象をあたえてくれる。そしてその後、よい結果〔bonus eventus〕という神が最高の弁護人になってくれる。

2　実行しても否定せよ〔Si fecisti, nega〕。お前が過ちを犯して、たとえばお前の民を絶望させ、暴動に走らせたとしても、「私のせいではない」と否定せよ。そして「言うことを聞かぬ臣民たちのせいだ」と言えばいい。あるいはまた、お前が隣国の民を支配下においたときは、「人間の性(さが)のせいだ」と言えばいい。[375] 人間は暴力で相手の機先を制さなければ、相手に機先を制されて支配される、と確かに予想できるからだ。

3　分割して統治せよ〔Divide et impera〕。つまり、特権をもったボスがお前の民には何人かいて、お前はそのボスたちに選ばれてトップ（同等の者のなかでのトップ〔primus inter pares〕）になっただけだとしよう。そういうときは、ボスたちをお互いに離反させ、さらにボスたちと民を分断する。そしてお前は、もっと自由にしてやるぞと民に思わせて、民の側に立つ。するとすべては、有無を言わせずお前の意のままになるだろう。いくつかの外国が相手の場合、それらの国と国のあいだに波風を立てることが、かなり確実な方法だ。弱いほうの国の側に立つような顔をして、順番に征服していけばいい。

さて、これら3つの政治的な格率には、たしかに誰も欺(あざむ)かれることがない。どれも有名なものばかりだからだ。不正があまりにも露骨でまぶしいほどだ、と恥ずかしがるケースでもない。大きな権力は、その他大勢の判断などに恥ずかしがることはなく、ただ他の大きな権力の判断しか気にかけないわけだから、これらの原則の場合、恥ずかしいと思うのは、それらの原則が暴露されることではなく、失敗することなのだ（というのも、格率のモラルについてなら、みんなの判断はお互いに一致しているのだから）。そういうわけで、いつも残る問題は、大きな権力が確実に当てにできる政治的な名誉である。つまり、どんな手段で手に入れたにせよ、権力の拡大こそが名誉となるのだ。*

＊ひとつの国で人びとが一緒に生活している場合、人間の本性にはある種の邪悪さが根づいていると考えることには、疑いがもたれるかもしれない。また、人びとの思考様式に法に反する傾向が見られることの原因として、まだ十分に進化していない文化に欠点（粗野さ）があることを、邪悪さのかわりに指摘できるかもしれない。しかしそれにもかかわらず、国と国の対外的な関係では、人間の邪悪さが、むき出しになって異論の余地なく目に入ってくる。どの国でも国内では、市民法の強制によって人間の邪悪さはベールをかけられている。なぜなら、市民どうしで暴力沙汰になる傾向に対しては、それよりも強い暴力、つまり統治権力が、抑止力として働いているからである。統治権力によって、たんにモラルの雰囲気（原因ではない原因〔causae non causae〕）が醸し出されるだけではなく、法に反する傾向の爆発に閂（かんぬき）がかけられることによって、実際に、人間のモラルの素質が大いに発達をうながされ、〔376〕法をストレートに尊重するようになるからでもある。――というのも、誰だって自発的に、法の概念を神聖に大切にして、忠実に守ろうと思うだろうからだ。もしもかりに、ほかの誰もが同じようにすると期待できるなら。その期待は部分的には統治によって保証されているわけだ。そうなると、（モラルの大きな一歩ではないにしても）モラルへの大きな一歩が踏み出される。その義務概念に、お返しを意識してではなく、義務だからという理由で従うのだ。――しかし、誰だって、自分のことは良い人間だと思い、他人にはみんな悪意があることを前提にするわけだから、お互いに相手に対して、「みんな、実際のところ、あんまり当てにできないね」という判断を口にする（その判断がどこから生まれるのかは、自由な存在である人間の本性のせいにはできないので、説明がつかないま

まだろう)。だが、人間は、法概念を尊重しないでやっていくことは絶対にできない。だから、人間には法概念に適うようになる能力があるという理論に、法概念の尊重は厳かに同意する。というわけで、誰だって「私なりに、法の概念に従って行動するしかないな。ほかの人がどう思おうと勝手だけれど」と考えることになる。

＊　＊　＊

[375] モラルのない戦略論(利口の教え)は、自然状態である戦争の状態から人びとの平和な状態をもたらそうと、以上のようにヘビのように曲がりくねりながら工夫してきたわけだが、[376] そのような蛇行から少なくとも以下のことが明らかになる。人間は、私的な関係においても、公的な関係においても、法の概念から逃れることができない。だから、あえて人間は、公的に政治の土台を利口なハンドル操作だけに求めたりはしないし、したがって、公法の概念に従うことを全面的に拒んだりもしない(全面的な拒否は、とくに国際法の概念の場合に目立つのだが)。そのかわり、公法そのものに対して、それにふさわしい名誉を全面的に認めようとするのだ。もっとも人間は、百もの逃げ口上や言い訳を考え出して、実践において避けようとするし、ずる賢い権力に対しては、「あらゆる法の根源であり、あらゆる法をくるむ包帯ですね」と権威に祭りあげたりもするのだが。——こういうソフィストのような詭弁に終止符を打つためには(詭弁によって美化された不正に終止符を打つのは

無理だとしても）、そして地上の権力者たちの偽りの代理人たちに自白させるためには、どうすればいいか。「私たちは、法のためではなく、権力の利益になるように話しているのです。ここでは私たち自身、なんだか命令口調で話してますが、そんな口調になれるのも権力のおかげなんです」と自白させるためには、私たちと私たち以外の人をだましているペテンを暴くのがいいだろう。永遠の平和を意図するようになった出発点である最高原理を見つけ出すのがいいだろう。そして、永遠の平和の邪魔をしている悪のすべてが、どこに由来するのかを指摘するのがいいだろう。つまり、モラルのある政治家なら当たり前に仕事を終えている地点で、政治的なモラリストは仕事を始めて、原則を自分の目的に従わせる（つまり、馬を馬車の後ろにつなぐ）ので、政治をモラルに一致させるという自分の意図を駄目にしてしまうのだ。

実践哲学を矛盾のないものにするためには、まず最初に決着をつけておくべき問題がある。実践理性の課題にとりかかるとき、[377] 実践理性のマテリアル原理、つまり目的（任意に選ぶ対象）から出発するべきなのか、実践理性のフォルム原理から出発するべきなのか。ちなみに、（外部との関係では自由に設定されているにすぎない）フォルム原理によれば、「あなたの格率がみんなの掟となるべきだ。あなたがそう望めるように、行動せよ。（目的なんて、どんなものでもいいんです）」ということになるわけだが。

疑いもなく後者のフォルム原理が先行するしかない。というのもフォルム原理は、法の原理として、絶対に必要不可欠なものだから。逆に、前者のマテリアル原理は、立てられた目的の経験的な条件を、いいかえれば目的の実現を前提にした場合にだけ、強制力をもつのだから。だから、たとえその目的（たとえば、永遠の平和）が義務であるとしても、その義務のほうは、「外で行動せよ」という格率のフォルム原理から導かれたにちがいないだろう。——さて、マテリアル原理、政治的なモラリストの原理（国法、国際法、世界市民法の問題）は、たんに技術的な課題（problema technicum）にすぎないが、逆にフォルム原理は、モラルのある政治家の原理として、モラルのある政治家にとっては倫理的な課題（problema morale）である。永遠の平和は、たんにフィジカルな善として望まれるだけでなく、義務として承認されることによって生まれる状態としても望まれるものだから、モラルのある政治家が永遠の平和を実現しようとするときのふるまいは、政治的なモラリストのふるまいとは天と地ほどの差がある。

第1の技術的な課題、国家戦略〔国の利口さ〕の問題を解決するには、自然をよく知っていることが要求される。設定された目的のために自然のメカニズムを利用するためだ。けれども自然をよく知っているからといって、永遠の平和という結果が確実になるわけではない。公法の3部門のうち、どれを考えてもいい。国民の従順と同時に国民の繁栄を、国内で、しかも長期にわたって維持するためには、厳しくするのがいいのか、虚栄心をくすぐるエサを撒くのがいいのか。国のボスがひとりだけの最高権力がいいのか、数人のボスによる合従（がっしょう）がいいのか。もしかしたら臣従貴族ひとりだけでもいいのか、国民に権力をもたせるのがいいのか。どれがいいのか、不確実だ。あらゆる統治方式について歴史には失敗例がいろいろある（もっとも、モラルのある政治家だけが考えることのできる本物の共和制だけは、別だが）。——もっと不確実なのは、内閣のプランによる法規にもとづいて作成されたと称する国際法である。これは実際、中身のない言葉だけのもので、その基本条約には条約締結の行為のなかに条約違反の留保がこっそり含まれてもいる、という代物なのだ。——この第1の課題とは逆に、第2の課題、国の知恵の問題は、その解決法が、いわばひとりでに浮かんでくる。誰にでもよくわかるし、[378] あらゆる手練手管の面目をつぶしながら、まっすぐ目的につながっている解決法である。しかも利口さも忘れていないので、目的を無理やり性急に引き寄せたりせず、都合のいい状況をうまく利用しながら、たえず目的に近づくのである。

だから、こんなふうに言える。「なによりもまず純粋な実践理性とその正義を求めて努力せよ。そうすればお前たちの目的（永遠の平和という恵み）はひとりでにかなえられるだろう」（新約聖書『マタイによる福音書』6・33「なによりもまず神の国と神の正義を求めて努力せよ。そうすればお前たちにはそれらがすべてあたえられるだろう」）。というのも、モラルにはそもそも、それも公法の原則にかんして（したがって、ア・プリオリに見分けることができる政治について）固有の性質があるからだ。つまりモラルは、意図して設定した目的にかんして、それがフィジカルな利益であろうと倫理的な利益であろうと、依存度が低ければ低いほど、概してその目的にはますます合ったものになるのだ。どうしてそうなるのか。なぜなら、人びとのあいだで何が正しいかを決めるのは、ア・プリオリにそこにある一般意思（ある民族の意思であれ、さまざまな民族と民族のあいだの意思であれ）だけだからである。そして、みんなの意思がひとつにまとまれば、といっても意思が首尾一貫して行使される場合に限るが、そのことが自然のメカニズムによって同時に動因となって、めざしていた結果をもたらし、法の概念を有効にするからである。——というわけで、たとえば、「ある民族は、自由・平等の法概念だけによって、まとまってひとつの国になるべきだ」というのが、モラルのある政治の原則である。そしてこの原理は、利口さではなく義務にもとづいている。さて、これとは逆に政治的なモラリストは、人びとが寄り集まった集合では、そこに働く自然のメカニズムが公法の原則を無効にするだろうし、その原則の意図をくじくだろう、などと屁理屈をいっぱいこねることだろう。また、まずく組織された古今の体制（たとえば代表システムをもたない民衆制）を引き合いに出して、反証しようとすることだろう。だがその声に耳を貸してやる価値はない。とくに、その種の有害な理論は、自分の予言する災いをわざわざ自分で引き起こすだろうからだ。その理論によれば、人間は、その他の生きている機械と同じクラスに分類されるのだが、生きている機械には「私たちは自由な存在ではありません」という意識をもつことしか許されないので、「私たちは世界に存在する者のなかで一番みじめなんだ」と自分で判断するようになるだろう。

「正義あれ。それで世界が滅ぼうとも〔fiat iustitia, pereat mundus〕」は、ちょっと大言壮語に聞こえ、〔神聖ローマ帝国の皇帝フェルディナント1世（1503〜64年）が格率としていたので〕格言としても知られているが、正しい文章である。これをドイツ語にすると、「正義よ、支配せよ。世界じゅうの悪党が全部それで滅びようとも」となる。これは、勇気ある法の原則である。[379] 悪だくみや暴力によってねじ曲げられた道を全部まっすぐにしてくれる。ただし誤解してはならない。この文章は、自分の法をこのうえなく厳格に使ってもよろしいと許可しているわけではない（そういう使い方だと、倫理的な義務に抵触するだろう）。そうではなく、権力者を拘束するものとして理解するべきである。つまり、権力者は誰に対しても、他人に対する悪意や同情から、その人の権利を拒んだり狭めたりしてはならない、という意味である。そのためには特に、国が純粋な法原理によって国内の体制を確立することが必要である。それだけでなく、国が隣国または遠国と手を結んでひとつになって、国と国の係争を法的に調停するような（ひとつの普遍国に似た）体制も必要である。――この文章が言おうとしているのは、こういうことにほかならない。政治の格率は、格率を守れば期待できる各国の繁栄と幸福を、出発点にする必要はない。各国が（意思の）対象としている目的を、国の知恵の最高の（しかし経験的な）原理を、出発点にする必要はない。法的な義務という純粋な概念から（つまり、その原理が純粋理性を通じてア・プリオりにあたえられている「するべきだ」から）出発するしかないのである。そのフィジカルな結果が、たとえどんなことになろうとも。世界は、悪人の数が減ることによって没落することはけっしてないだろう。モラルの悪には、その本性から分離できない特質がある。悪を意図するとき（とくに、悪を意図する他者に対抗するとき）、モラルの悪は、自分のことが大嫌いになって自己破壊をはじめるのだ。そうやってモラルの悪は、（モラルの）善の原理に場所を空けるのである。たとえゆっくりした足取りであるにしても。

＊　＊　＊

だから、客観的には（理論上は）モラルと政治のあいだに争いは一切ない。逆に主観的には（人間の身勝手な傾向では、ということだが、この傾向は理性の格率にもとづいてはいないので、まだ実践とは呼べない）、モラルと政治の争いは、ずっと残るだろうし、残ってもかまわない。徳をみがく砥石になってくれるからだ。徳がもっている本物の勇気は（「不幸を避けるな。もっと勇気をもって不幸に立ち向かうのだ〔tu ne cede malis, sed contra audentior ito〕」〔ウェルギリウス『アエネーイス』6・95〕という原則によれば）、目の前にあるケースでは、引き受けるしかない災いや犠牲的行為に決然と立ち向かうことではない。私たち自身のなかにある、もっと危険な悪の原理を直視して、その悪だくみに勝つことなのだ。悪の原理は、嘘をつき、裏切り、おまけに「人間の本性って弱いものだから」と屁理屈を言って、あらゆる違反を正当化しようとする。

〔380〕実際、政治的なモラリストなら、こう言うだろう。「君主と民、または民と民が、暴力や陰謀を使って反目しあっている場合、お互いに不正を働いているわけではない。法概念だけが平和の永遠の土台になるわけだが、その法概念にまるで敬意を払っていないという意味では、不正を働いていることにはなるが」。というのも、一方が他方に対する義務を破り、その他方もまったく同様に相手に対して法を踏みにじろうと思っているので、両者がお互いに滅ぼしあっても、両方の側にとってまったく不正は起きていないことになるのだから。けれどもこの〔人間という〕種族ではかならず生き残る者がいるので、争いのゲームはずっと先の未来まで終わることはなく、そのおかげで、ずっと後世の人間が、両者の争いをいつか警告例として受け取ることになる。こうして世界の流れで摂理の正しさが示されている。というのも、人間のなかにあるモラルの原理は、けっして消えないからだ。おまけに実地面では、法の理念をモラルの原理によって実行するときに働く理性が、どんどん進歩する文化とともに成長しつづけるからだ。しかし文化の進歩とともに、違法行為の罪も増えるのだが。しかし神の創造では、その種の堕落した人間がこの地上に存在するべきだ、ということになるが、（私たちが、人類はこれ以上はよくならないだろうし、なれないだろう、と仮定すれば）どんな弁神論〔悪の存在は、善なる全能の神に矛盾するわけではない、ということを証明しようとした（ライプニッツの）議論〕をもってきても、神の創造を正当化できな

いように思える。けれどもそのように判断している私たちの立場は、あまりにも高いところにあるので、理論上、私たちは私たちの（知恵の）概念を、私たちには探りようのない至高の力の下敷きにすることはできない。——こんな絶望的な結論にどうしても追いやられてしまうのは、私たちの仮定に問題があるからだ。つまり、純粋な法の原理は客観的にリアルなものである、いいかえれば実行可能である、と仮定しているからだ。また、経験に頼る政治が、たとえどんなに反対しようとも、国では国民が、さらに国と国のあいだでは各国がお互いに、純粋な法の原理に従って行動しなければならない、と仮定しているからだ。というわけだから、本物の政治は、あらかじめモラルに忠誠を誓ってからでないと、歩くことができない。政治というものはただでさえむずかしい技術だが、政治とモラルをひとつにするために技術はいらない。というのも、政治とモラルが対立するようになると、すぐにモラルが、政治には解くことのできない結び目をまっぷたつに切ってしまうからだ。——人びとの権利と法は、支配する側の権力にどんなに大きな犠牲を払わせることになっても、神聖なものとして守る必要がある。ここで折半して、実用的で条件づきの法という（法と実益の）中間物をひねり出してはならない。どんな政治も法の前でひざまずいてもらうしかない。しかし、そのおかげで望むことができるのだ。ゆっくりとだが、ステップアップして、政治が輝きつづけるようになることを。

[381]

II 公法の先験的な概念から見た、政治とモラルの一致について

法学者が普通に想像しているような公法で（国内での人びとの関係、あるいは国と国のあいだでの各国の関係は、経験的にそこにあるものとしては、さまざまだが）、私がその公法の内容をすべて無視してみると、私の手もとに残るのは公開という形式だ。公開の可能性は、どんな法的要求にも含まれている。なぜなら、公開されなければ、どんな正義も存在しないだろうから（周知可能でなければ、正義を考えることはできない）。したがって、正義のおこぼれにすぎない法も存在しないだろう。

公開する能力は、どんな法的要求にも必要とされる。問題のケースが公開されているかどうか、つまり、行為する者の原則に公開が含まれているかどうか、は簡単に判断できることなので、公開ということが、理性でア・プリオリに見つけられる判断規準になることができる。公開されない場合は、考えられた要求（合法であるという申し立て〔praetensio iuris〕）が間違っている（違法である）ことが、いわば純粋理性によるテストで、すぐに見破られるわけだ。

このようにして、国法や国際法に含まれる経験的なもの（人間の本性がもっている邪悪さも、経験的なもので、これには強制的な束縛が必要だが）をすべて無視してしまうと、次の

文章を、公法の先験的な公式と呼ぶことができる。

「他の人たちの権利に関係する行為で、その格率が公開を認めていない行為は、すべて不正である」

この原理は、倫理的なもの（徳の教えに属するもの）であるだけでなく、法的なもの（人びとの権利にかかわるもの）でもあると考えるべきだ。公表すると私の意図していたことも同時に駄目になってしまう格率の公表を、私が禁じるとしよう。私の意図していたことを成功させるには、絶対に内緒にしておく必要があり、私の思惑を公にするとみんなの反発を招くことが避けられないからだ。しかしそういう格率のせいで私は、必然的にみんなから、ということはア・プリオリにわかることだが、批判されることになる。批判の根拠はほかでもない、それが明らかに正義に反するからだ。不正義によって格率がみんなを脅かしているのである。――さらにこの原理は、ネガティブなものでしかない。つまり、何が他者に対して正しくないか、を見分けるためにしかこの原理は役に立たない。[382]――この原理は、公理に似ていて、証明はできないけれど確実で、おまけに簡単に用いることができる。それは、これから紹介する公法の例から明らかだ。

1　国法（市民法〔ius civitatis〕）、つまり国内法について。国法では、多くの人が答えにくいと思っている問題があるのだが、公開という先験的な原理を用いれば、簡単に解くことができる。「(その称号だけでなく実際に暴政をやっている〔non titulo, sed exercitio talis〕) 僭主〔暴力によって非合法で君主の座についた者〕と呼ばれている者の重苦しい暴力を、国民がはねのける手段として、反乱は合法か」という問題だ。国民の権利は傷つけられているし、退位させても僭主に不正がなされたことにはならない。このことに疑いの余地はない。だが、それだけにますますもって、臣民がそういう方法で臣民の権利を求めるのは不正である。そして臣民は、かりにその争いに敗れて、極刑を受けざるをえなくなってしまっても、それを不正だと訴えることはできない。

さてここで、法の根拠を独断で演繹することによって、この問題を処理しようとすると、賛否両論、あれこれ屁理屈がたくさん並べられることになる。けれども公法で公開という先験的な原理を用いるなら、あれこれの議論を省略することができる。国民が市民として契約を結ぶ前に、この原理に従って当の国民が、「私たちは、場合によっては反乱を起こそうと決意することがあるという格率を、あえて公にするだろうか」と自問すればいい。すると簡単にわかる。国の体制をつくるときに、ある種のケースでは国のボスに対して暴力を使うことを条件にしようとするなら、国民は国のボスに向かって、「あんたに俺は合法的に権力を使うことができるんだぞ」と生意気を言っていることになってしまうだろう。そうなるとボスはボスではないことになるだろう。こういうことが国づくりの条件にされると、国民は国をつくろうと思っていたのに、国づくりが不可能になってしまうだろう。だから、反乱が不法であることは明らかである。格率に反乱が含まれていれば、反乱の可能性を公表することになるわけだから、国づくりの意図を実現することが不可能になってしまうだろうから。だから、そういう格率はどうしても内緒にしておく必要があるのだろう。――けれども、それを内緒にしておくことは、国のボスの側からすれば、かならずしも必要ではないだろう。ボスは自由に言えるのだ。「どんな反乱であれ、わしは首謀者どもを死刑にしてやるからな。どんなに連中が、わしのほうが先に基本法を踏みにじったのだ、と思っていても」。というのも、「抗いがたい最高権力がわしにはあるのだ」と自覚しているなら、国のボスは、自分の格率が知れ渡っても、自分の意図していることが駄目になると心配する必要がないからだ(抗いがたい最高権力というのは、どんな市民体制であっても、かならず想定しておく必要がある。なぜなら、誰であれ国民のひとりを、国民のほかの者から守れるだけの権力を、国のボスがもっていないなら、[383] 国民に命令する権利も、もっていないわけだから)。また、以上のことと深く関係することだが、かりに国民が反乱に成功したとしても、国の元ボスは、臣民の位置に退かねばならず、また、復権のための反乱の準備も禁止されるが、以前の国政の責任を問われるのではないかと恐れる必要もないだろう。

2　国際法について。――なんらかの法的状態(つまり、法が実際に人に関係してくる外的条件)が前提にあるときにだけ、国際法が問題になる。なぜなら、公法としての、国際法の概念には、各国にそれぞれの持ち分を規定する一般意思を公表することが、すでに含まれているのだから。またその法的状態〔status iuridicus〕は、なんらかの条約を結べば、かならず生まれてくるものである。その条約は、（国をつくるときには強制法が土台になっているが、それとは違って）かならずしも強制法を土台にする必要はない。先に紹介した、さまざまな各国による連邦の条約のように、せいぜいのところ、持続する・自由な連合の条約といったものでいい。というのも、なんらかの法的状態が（フィジカルな面でも、モラルにかんしても）さまざまな人をちゃんと結びつけているわけで、そういう法的状態がなければ、したがって自然状態では、たんに私法しか存在できないからだ。——さてここでまた、政治とモラル（といっても法学的に見たモラルだが）の争いが登場する。ここでも同様に、格率公開というあの判断規準を簡単に適用することができるのだが、ただ条約は、各国がお互いに協調して他国に対して平和をたもち、けっして侵略などしない、という程度の意図で結ばれるにすぎない。——さてここで次のように、政治とモラルの二律背反のケースが登場する。同時にその解決策もくっついてくる。

a「これらの国のうちで、ある国が他の国に、支援とか、領土割譲とか、後方支援金とか、などなどの約束をしていたとする。ところがその国の無事を左右する事件が起きて、それまで約束していた援助を打ち切ることができるかどうかが、問題になる。そのときその国は、自分を二重人格者だと考えてもらいたいと言う。まず最初は、絶対権力者として。絶対権力者なら、国内では誰に対しても責任を負っていない。次に今度は、国家公務員のトップにすぎない者として。国家公務員なら、国に弁明する必要はあるが、絶対権力者の資格では責任があった事柄からは、国家公務員の資格だと責任を免除される、ということになる」――ところでさて、ある国（またはその国のボス）が、自分のその格率を公にするとすれば、[384] 当然、どの他国もその国を避けるだろう。またはその国の思い上がりに対抗するために、ほかの国と力を合わせるだろう。というわけで、こういうことが証明される。政治は、どんなにずる賢くふるまっても、公開を軸足にすれば、所期の目的そのものが駄目になってしまう。したがってそのような格率は、不法であるにちがいない。

b 「恐るべき強大な力（potentia tremenda）にまでなった隣国が、不安の種になっているとする。そのとき、〈その隣国は、他国を制圧できるので、他国を制圧しようとするだろう〉と想定できるだろうか？ またそのため、その隣国より弱い国々には、まだ侵害されてもいないのに、（力を合わせて）その隣国を攻撃する権利があるだろうか？」――その場合、ある国が、自分の格率を公表して否定しようとしなかったら、災いをますます確実に、ますますすばやく招くだけだろう。というのも、強い国が、弱い国々の機先を制するだろうから。そして弱い国々が力を合わせても、分割して統治せよ〔divide et impera〕の使い方を心得ている強い国に対しては、弱い葦の棒にしかならないから。――というわけで、国家戦略〔国の利口さ〕のこのような格率を公に宣言すれば、格率の本来の意図がへし折られる。したがってこのような格率は、不正である。

c「小国がその国の事情で大国とのつながりを切るのだが、そのつながりは大国にとって自国の維持のために必要であるとする。その場合、大国には、小国を征服して併合する権利があるだろうか？」――簡単にわかることだが、大国はそのような格率を前もって公表する必要などない。というのも、小国は小国どうしで早々と連合するか、ほかの強国がその小国を獲物にしようと争ってくるからだ。したがってこの格率は、公表されることによって、みずから実行不可能になる。これは、この格率が不正であること、きわめて悪質な不正である可能性があることの、証拠だ。というのも、不正の対象が小さいからといって、そこで示される不正が非常に大きいことを妨げたりしないから。

3　世界市民法について。これについては黙って通り過ぎることにする。なぜなら、世界市民法と国際法のアナロジーによって、世界市民法の格率は、簡単に示すことができるし、評価することもできるので。

＊　＊　＊

たしかに、国際法の格率が公開にはなじまないという原理について、ここではその好例として、政治がモラル（法学的な意味でのモラル）と一致しないことを見た。しかし、「では、国際法の格率が国際法と一致する条件とは、どういうものなのか？」ということも、教えてもらってもいいだろう。というのも、公開になじむ格率なら、それだけでその格率は正しい、と逆に推論することはできないから。[385] なぜなら、確固たる最高権力をもっている者なら、自分の格率を隠し立てする必要がないからである。――国際法というものをそもそも可能にする条件は、とにもかくにも法的状態が存在していることである。というのも、法的状態がなければ公法など存在しないわけで、（自然状態で）公法以外に考えられそうな法といえば、私法しかないからだ。以前すでに私たちが見てきたように、各国にとって連邦の状態というのは、たんに戦争を遠ざけることを意図しているだけの状態であり、各国の自由と矛盾しないその状態だけが、唯一の法的状態なのだ。だから、政治がモラルと調和できるのは、連邦という協調形式だけなのである（この協調形式は、法の原理を認めるなら、ア・プリオリにそこにあるものであり、必然的なものである）。そしてすべての国家戦略〔国の利口さ〕の法的基盤は、連邦という協調形式を可能なかぎり広範囲で実現することによって生まれる。この目的を欠いているなら、国家戦略〔国の利口さ〕のすべての手口は、知恵のない策であり、ベールをかぶった不正義でしかない。――このえせ政治は、最優秀のイエズス会も顔負けの、決疑論のように二枚舌だ。――口にせず留保〔reservatio mentalis〕する。公的な条約において、場合によって自分の都合のいいように解釈できる表現を用いる（たとえば、事実上の現状〔status quo de fait〕と法律上の現状〔status quo de droit〕を区別する）。――蓋然論（がいぜんろん）。他国が悪い意図をもっているとこじつける。または、他国が勢力拡大をねらっているらしいことを、平和な他国を切り崩すための法的理由にする。——最後に、哲学の罪〔peccatum philosophicum〕（微罪〔peccatillum〕、些細なこと〔bagatelle〕）。はるかに大きな国が、勝つことによって世界にもっと貢献できると勘違いして、小さな国を併合することなど些細なことで簡単に許されるものだと考える。*

＊　このような格率の例証を、宮中顧問官〔クリスティアン・〕ガルヴェ氏〔1742〜98年。ドイツの哲学者。スコットランド啓蒙思想の翻訳とカント批判で有名〕の論文「モラルと政治のつながりについて」（1788年）に見出すことができる。品格のあるこの学者は、冒頭ですぐ、この問題には満足に答えることはできないと告白している。けれども、この種の格率に対する活発な異論を完全には退けることはできないと白状しながらも、この種の格率に賛成しているわけだが、その態度は、この種の格率を認めるだけならまだしも、それを大いに乱用しがちな人に対して譲歩しすぎているように思える。

これを後押ししているのが、モラルにかんする政治の二枚舌で、政治は自分の意図を実現するために、一方の舌を使ったり、もう一方の舌を使ったりする。——人間愛、そして人びとの権利に対する尊敬。このふたつが義務なのだ。ところで前者が、条件つきの義務にすぎないのに対して、後者は、ひたすら命令する無条件の義務である。善行の甘い感情に浸ろうと思うなら、後者の義務に違反していなかったことを、まず十分に確認しておく必要がある。[386] 前者の意味でのモラル（倫理学でいうモラル）なら、政治は簡単に了解して、人びとの権利を統治者のために犠牲にする。けれども後者の意味でのモラル（法学的な意味でのモラル）なら、政治はそういうモラルにはひざまずくしかないだろうから、うまく折り合おうなどとはしないのが得策だと思い、むしろそのモラルにはリアリティーをまったく認めず、あらゆる義務をたんなる善意だと解釈する。だが、光を恐れる政治のこういう悪だくみは、哲学にそういう政治の格率を公開されたら、簡単に失敗するだろう。ただしそれは、政治があえて、哲学者に哲学者の格率の公開を許そうとした場合に限られるのだが。

というようなわけで私は、公法の、先験的でポジティブな原理をもうひとつ提案する。その公式は、こんなふうになるだろう。

「（その目的を達成しそこなわないために）公開される必要がある格率はすべて、法および政治の両方とぴったり調和するものである」

というのも、公開されることによってしか、その格率が目的を実現できないなら、その格率は、みんなの一般的な目的（つまり、とても幸せな状態）に合っているにちがいないのだから。みんなの目的と一致すること（みんなを今の状態に満足させること）こそ、政治の本来の課題なのだ。けれどもその目的が、公開されることによってしか、いいかえれば、政治の格率に対するあらゆる不信感を遠ざけることによってしか、達成できないものであるなら、その格率は、みんなの法ともうまく調和するにちがいない。というのも、その法においてでしか、みんなの目的はひとつになれないのだから。――この原理について説明したり論じたりすることは、別の機会にゆずらなければならない。ただ、「この原理は先験的な公式である」ということだけは言っておこう。それは、(とても幸せな状態になるための教えに関係する)すべての経験的な条件を、法の内容の問題だからとして遠ざけていることから、そして一般論としてルールに適っているかどうか、という形式の問題しか配慮していないことから、わかるはずだ。

＊　＊　＊

公法の状態を実現することが義務なら、またその実現が根拠のある希望なら、実現に向かってかぎりなく前進しつづけるしかないとしても、永遠の平和は、これまでまちがって「永遠の平和」と呼ばれてきた平和条約(これは厳密にいえば停戦)につづくものだが、内容空疎なアイデアではなく、課題である。その課題は、じょじょに解決されながら(同量の進歩を達成する時間が、どんどん短くなればいいのだが)、その目標にたえず近づいている。

訳者あとがき

自由な人間の哲学などには興味がなかった。――そういうものを試みる人はみんな、私をうんざりさせた。――私がね、興味をもったのは、自由な人間であるための技術だったのだよ。

ユルスナール『ハドリアヌス帝の回想』

「永遠の平和」亭

「味気ない、ひからびた包装紙のような文体だ」。ロマン派の詩人ハインリヒ・ハイネが、『純粋理性批判』のドイツ語の悪口を言っている。カントは通俗哲学者との差別化をはかるために、「自分の思想に、宮廷のような冷え切ったお役所言葉を着せた」。頭の悪い連中は、カントの文体だけを真似したので、ドイツでは「よい文章を書く者は哲学者ではない」という迷信が生まれた……。

軽快なドイツ語を書いたハイネの、この悪口を思い出したのは、『永遠の平和のために』の翻訳を、思想史学者で編集者の互盛央さんに提案されたとき。私は軽薄な人間なのだが、即答をためらった。

学部生のとき岩崎武雄ゼミで読んでいた緑色の哲学文庫版『純粋理性批判』を本棚の奥から引っ張り出し、ほこりをはたいて、開いてみた。やっぱり読みにくい。投げ出したくなる。『純粋理性批判』出版後、コペルニクス的転回が評判になるのに何年もかかったのも当然だ。カントのドイツ語は走らない。ていねいに歩いている。カントは散歩が有名だが、心臓が弱く虚弱だったので、だらだら走る有酸素運動の喜びを知らなかったのかもしれない。

カントと聞くと、条件反射のように「哲学」を連想して身構える人が多い。「カント哲学」という言葉をうやうやしく口にする人に出くわすと、私は反射的にヴィトゲンシュタインの言葉を反芻している。〈哲学で君の目的って、なに？――ハエに、ハエ取りボトルからの逃げ道を教えてやること〉。

けれども『永遠の平和』は、カントが、学者たちではなく、実際の政治家たちを意識して、平和について書いた小冊子だ。『純粋理性』のドイツ語ほど読みづらくはない。カントはお洒落で、いつも外見に気をつかっていた。71歳の哲学者は、『永遠の平和』のデザイナーとして、味のある仕掛けを小冊子にほどこしている。お洒落なカントのサービス精神。

たとえば、タイトルの Zum ewigen Frieden ――〈永遠の平和のために〉と読めるが、〈「永遠の平和」亭〉とも読める。ドイツ語では、der schwarze Bär（黒熊）の前に zu をつけて、Zum Schwarzen Bärenとすると〈黒熊亭〉になる。ちなみに『永遠の平和』の草稿では、小文字のewigen（決定稿）ではなく、大文字のEwigenだった。

前口上で触れられる〈あのオランダの宿屋の主人〉は、あとで『永遠の平和のために』の〈確定条項その3〉に出てくる〈(宿屋の主人のような)もてなしの心〉の伏線でもあるのだろう。

「わが頭上の星空と、わが内なる道徳律」——星空を見上げるのが好きな老哲学者は、最初から腰が低く、下から目線だ。素朴な読者は別として、上から目線の発言に耳を傾ける人は、あまりいないだろう。ニーチェは逆説的な「上から目線」の演技が得意だったが。『永遠の平和』（1795年）の前口上でカントが政治家たちに対して、「お手やわらかに」と言っているのにはワケがあった。

『たんなる理性の限界内での宗教』（1793年）などのせいで、1794年には、王の特別命令（警告）に対して、カントは「宗教に関して公共の場で発言することは一切つつしみます」と手紙を書いている。実際の政治家に対して、私は机上の空論を並べる理論家にすぎないと卑下してみせているが、カントの諧謔的な卑下には、哲学の「社会的地位」が低いという意識も働いているのだろう。

カントは大学で40年間、論理学、形而上学、倫理学、自然地理学、物理学などを教えていた。哲学部は、現在の大学の教養課程のようなものだった。法学部、医学部、神学部とちがって、〈非常に低いランクに甘んじている。だから哲学は、たとえば「神学の侍女である」と言われている（ほかの2つの学部からも同じように言われている）。——しかし、「侍女が灯りを持って奥様より先を歩いているのか、それとも奥様の裾を持っているのか」。それはよくわからない〉（カントは『諸学部の争い』（1798年）でも、似たようなフレーズを使っている）。

『永遠の平和』の執筆動機は、M・キューンの『カント伝』（2001年、邦訳2017年）によると、ひとつは、プロイセンが対仏同盟から離脱した1795年の「バーゼル平和条約」に、カントが不満だったこと。もうひとつは、1713年以来つづいていた「永遠の平和」論争にカントも加わって、ライプニッツ、ヴォルテール、フリードリヒ大王、ルソーに肩を並べることだったらしい。

バーゼル平和条約（バーゼルの和約）は、ドイツ語ではFriede von Basel（またはBasler Frieden）。ちなみに有名なウェストファリア条約（1648年）は、ドイツ語ではWestfälischer Friede——つまりFriede / Friedenは、「平和」だけでなく、「（条約にもとづく）平和、講和条約」という意味でも使われる。

『永遠の平和』の本文の最初で、カントは、バーゼル平和条約を念頭において、こんなふうに書いている。〈そのような平和条約〔＝将来の戦争の種をひそかに留保して結んだ平和条約〕は、たんなる停戦であって、敵対行為の延期にすぎず、平和ではないからだ〉。つまりこの小冊子では、「あらゆる戦闘行為が終わっている」本格的な（つまり「永遠の」）平和条約（つまり「平和」）を考えよう、と法へのフォーカスが告げられている。じっさい、『永遠の平和』の小冊子は、法律の条文のような体裁だ。

「道徳的によい人間」になれなくても、「よい市民」にはなれるだろう……

互さんの提案に即答をためらった、もうひとつの理由は、既訳がいくつかあることだ。私の新訳、必要なのかな？　ドイツ語を片手に、既訳をながめてみた。

たとえば、第1章のはじめの、Friede, der das Ende aller Hostilitäten bedeutet（アカデミー版（AA VIII）では３４３ページ、24行目。講談社学術文庫版では13ページ、５行目）。

・（岩波文庫・高坂訳）平和とはあらゆる敵意の終末を意味し

・（岩波文庫・宇都宮訳）平和とは一切の敵意が終わることで

・（集英社・池内訳）平和というのは、すべての敵意が終わった状態をさしており

・（光文社古典新訳文庫・中山訳）平和とはすべての敵意をなくすことであるから

ん？ みんなが「敵意」を捨てて、心のきれいな良い子になったときが「平和」？「すべての敵意」がない世界って、グロテスクで、不健全な気がする。71歳のカントの頭は、お花畑だったのだろうか。「この野郎！」と敵意があっても、手を出さないのは「平和」とは呼べないのだろうか。

Hostilitäten って「敵意」？ 平凡な私のレンズで見ると、「敵意」とは読めない。うん、だったら私の新訳にも、出番があるかもしれないな。

たしかに Hostilität（単数）は「敵意」だが、Hostilitäten（複数）になると普通は、「敵対行為・戦闘行為」という意味になる。この違いは、ドイツ語と親戚の英語でも同じだ。hostility（単数・不可算）は「敵意」で、hostilities（複数）は「敵対行為・戦闘行為」。

「意識」はドイツ語で Bewußtsein。普通は単数で使われ、（私の知るかぎり）独和辞典では「複数なし」とされている。最近の哲学や社会学などでは、いろんな意識があるというニュアンスで、たまに複数形の Bewußtseine が使われているのを目にするけれど、カントは、Hostilitäten（複数）を Bewußtseine（複数）的に使ったのだろうか？

カントは英語に親しんでいた。40歳のころから、英国人ジョゼフ・グリーン（1727〜86年）と大の仲良しだった。グリーンは、プロイセン王国のケーニヒスベルク（現在はロシアのカリーニングラード）にグリーン商会を構えていた商人で、カントの人生における最重要人物。「急所を見抜く力があり率直にものを言う友人」だった。頻繁に会って、食事もしていた。トランプ遊び、劇場やコンサート通いなど、それまでの享楽的な日常生活をやめたのも、グリーンの影響だ。カントの散歩は有名だが、カントの規則正しい日常生活の習慣も、グリーンの影響だそうだ。

グリーンは非常に教養のある人で、カントと同様、ルソーとヒュームが好きだった。1770年代になると、グリーンはグリーン商会の仕事を共同経営者のマザビーに任せるようになる。カントは午後、しばしばグリーン家を訪問。『純粋理性批判』の文章はすべて、グリーンとの議論をへていると言われている。カントはグリーン&マザビー商会に投資して、蓄財もしていた。1770年代にケーニヒスベルクが経済危機だったときも、カントは資産のほとんどを安定経営のグリーン&マザビー商会に投資していたので、お金の心配はなかった。晩年のカントの財産は、大学教授にしては莫大な約2万ターラー。

当時は田舎のベルリンと違って、世界に開けた港町ケーニヒスベルクに住み、生涯ケーニヒスベルクから出ることはなかったが、新聞をよく読み、旅行記が好きで、大学では自然地理学も教えていたカントは、商人グリーン（グリーンの死後は、その後継者マザビー）から、世界の最新情勢を聞いていた。『永遠の平和』では「商業の精神」という言葉が、（今日では牧歌的にすぎると思えるほど）好意的に使われている。

『永遠の平和』は、インターナショナルな内容の本だ。英国人の親友がいたカントは、直前の文章でFeindseligkeiten（複数で「敵対行為・戦闘行為」。単数のFeindseligkeitが「敵意」）を使ったので、本の冒頭ということもあり、ちょっと洒落て英語由来のドイツ語Hostilitäten（複数）にしたのではないだろうか。『永遠の平和』でHostilitäten（複数）が使われるのは、たしか、この冒頭部分の1回だけだ。

カントは『永遠の平和』の出版の直前に、42歳も年下の弟子キーゼヴェターに手紙（1795年10月15日付）を書いている。〈『永遠の平和のために』の私の夢想、君には版元のニコロヴィウス経由で献本します。学者たちのあいだに平和がなくても大した問題ではありません……〉。この手紙で「夢想」はドイツ語ではなく、英語でreveriesと書かれている。――というようなこともあるので、私としてはHostilitätenを「敵意」ではなく、やっぱり「戦闘行為・敵対行為」と読みたい。この部分を普通に訳すと、こうなる。

平和とは、あらゆる戦闘行為が終わっていることであり

私が既訳に「ん？」と思ったのは、「敵意」に敵意があったからではない。「敵意」と「敵対行為」とのあいだには大きな溝がある。その違いを意識して、「〈道徳的によい人間〉になれなくても、〈よい市民〉にはなれるだろう」が、デザイン『永遠の平和』のコンセプトな

のだ。

法は、内心にまで踏み込めない。ひそかに心底、婚外者を愛していても、からだの関係をもたなければ、不倫（不貞行為）とは認定されない。敵意をもっていても、それを敵対行為に移さなければ、平和だとみなされる。内心の自由にまでは手を出せないのが、法の立場だろう。

カントは、「すべての敵意」を捨てて、すべての人が〈道徳的によい人間〉になることを期待して、『永遠の平和』をデザインしたのだろうか？　ちがう。人間の町内、いや腸内は腸内細菌のお花畑（フローラ）だが、カントは、すべての国が「すべての敵意」を捨てた、お花畑のような世界を夢想していたわけではない。人間は邪悪な存在であることが自然なのだから、その自然のメカニズムを利用して、「すべての敵意が終わって」いなくても、つまり〈道徳的によい人間〉になれなくても、せめて〈よい市民〉にはなれるだろう、そのためには……と考えて、『永遠の平和』をデザインしたのだ。

「われらに平和をあたえたまえ」ではなく……

カントは毎朝4時45分に起きて、5時から仕事をしていたという。猿真似が好きな私は、早起きのカントにならって毎朝5時に起き、バッハをBGMに『永遠の平和』の翻訳をはじめた。もっと苦労するかと思ったが、朝の仕事は予想外にはかどり、小冊子ということもあり、気がついたら終わっていた。

バッハの『ロ短調ミサ』は、神の子羊（イエス）よ、「われらに平和をあたえたまえ（Dona nobis pacem）」で終わる。この終曲が始まるたびに、私の胸は静かに、深くドキドキするのだが、宗教にかんしてラディカルだったカントは、平和を神頼みにせず、人間の手で平和をつくろうとした。『永遠の平和』は、世界を「永遠の平和」亭にするための、哲学者が書いた現実的な企画書である。そのプレゼンテーションは、国内法↓国際法↓世界市民法という流れで進んでいく。デザインの肝は、法のしばり。

「人間は、利己的で、邪悪で、戦争好きだ」という見立てから、カントは出発する。そして〈国を設立するという問題は、とてもむずかしいように思われるが、悪魔族でも、（悪魔たちが悟性をもってさえいれば）解決できる問題である〉。なぜなら、神のおかげではなく、〈自然のメカニズム〉が働いているのだから。しかし、〈自然のメカニズム〉もそうだが、法についても、カントの場合、ちょっと呑気な印象がある。というのも法は、力の強い者が「正義」の顔をして決めるものであり、かならずしも正義とはかぎらないのだから。

マキアヴェリは、「人間は邪悪だから」を通奏低音のように響かせながら、『君主論』を書いている。〈すべての政体が、新しくても、古くても、あるいは複合のものであっても、持つべき土台の基本とは、良き法律と良き軍備である〉（河島英昭訳）と言う。たんに「法律」ではなく、「良き法律」と書かれていることに注目したい。法そのものに力があるのではなく、法を支える力が強いときに、法は力をもつようになる。『君主論』は、力がどこにあるのか、どこから生じるのか、強制する力をどこに求めるのかを、具体的にリアルに追いかけている。人間の恐怖心という強力なベクトルをも見逃すことなく。「フィレンツェ政庁書記官」マキアヴェリは、たくさん読書もしたが、イタリア半島各地を旅する外交官だった。カントは生涯、ほとんどケーニヒスベルクを出ることもなく、旅をしなかった。旅をしたからといって、ロバがウマになって帰ってくるわけではないが、カントとちがってマキアヴェリは執拗に、力のありかを、力量というものを吟味している。マキアヴェリをリアリストと呼ぶなら、カントはロマンチストに見える。

〈自然のメカニズム〉は、計算する理性を前提にしている。私はゲーム理論を思い出した。自分の利益ばかり追求すると、悪い結果を招くので、自分だけでなく、関係する相手の利益も考えて決断するほうが、お互いにとってよい結果になる。ゲーム理論によれば、仲良し作戦のほうが敵対関係よりうまくいく。

皮肉なことに、ゲーム理論を考えたフォン・ノイマンは、コンピューターも考案した超天才。計算する理性はたっぷりあったはずだ。だが、原爆もつくったノイマンは、「明日爆撃すると言うのなら、なぜ今日ではないのかと私は言いたい！」と言ったらしい。カントの世紀とちがって現代では、悪魔のような科学者や政治家が暴走すれば、国どころか、人類は一瞬にしておしまいだ。「ノイマン」たちのことを考えると、モラルの必要を痛感する。『永遠の平和』の後半になると、〈モラルのある政治家〉など、モラルへの言及がふえていく。脇見が好きな私は、本文より、（本文と同じくらいの分量の）付録や注のほうがおもしろかった。世界の平和だけでなく、国内の平和だけでなく、「君たちはどう生きるか」にいたるまで、カント羅針盤の針が方角を教えてくれる。

ドイツ啓蒙思想の代名詞のようなレッシングの『賢者ナータン』（1779年）は、「寛容とヒューマニズム」を謳った思想劇だ。この芝居にはユダヤ教徒、キリスト教徒、イスラム教徒が登場するのだが、西洋が上から目線で勝手につくりあげたオリエント像、つまり「異質な他者」の影がない。サイードは、オリエントを支配・再構成・威圧するための西洋のスタイルを「オリエンタリズム」と呼んだけれど、『ナータン』にはオリエンタリズムの影が感じられない。

20世紀のノイマンは、人間を「人格をそなえた人間」と見ることはせず（できず?）、他者の存在を平気で無視した。18世紀のカントはレッシング同様、寛容とヒューマニズムの「啓蒙の世紀」の人だった。カントには反ユダヤ発言などもあるが、『永遠の平和のために』では、「永遠の平和」亭の主人として、よそ者や、よその土地の住人のことも、「人格をそなえた人間」として見ている。上から目線のオリエンタリズムの影は落ちていない。

たとえば、ヨーロッパの横暴を体現した東インド会社を念頭におきながら、〈ヨーロッパ諸国にとって、見知らぬ土地や民族を訪問することは、その土地や民族を征服することと同じ意味なのだ〉。〈そしてこういうことをやりたがっているのが、敬虔な信仰を大げさに売り物にしているヨーロッパ諸国なのだ。不正を水のように飲みながら〔旧約聖書『ヨブ記』15・16〕、神の正しさを信じることにかけては自分たちこそが選ばれた者なのだと思われたがっているのだから〉。

星空を見上げてロマンチストは「夢想」する

上から目線のマキアヴェリは、断言する。〈君主たる者は、したがって、ひたすら勝って政権を保持するがよい。手段はみなつねに栄誉のものとして正当化され、誰にでも称賛されるであろう。なぜならば、大衆はいつでも外見と事の成行きに心を奪われるのだから。そしてこの世に存在するのは大衆ばかりだから、大多数の者たちが拠り所をもつかぎり少数の者たちが入り込む余地はない〉（河島英昭訳）。

敵対的買収の株主総会では、議決が51対49であっても、勝った側の51は、負けた側の49などに存在しないかのようにふるまうことがある。新自由主義の弱肉強食。新自由主義が幅をきかせるようになってから、「紳士的」という言葉をあまり耳にしなくなった。モラルのない政治家も、敵対的買収スタイルで、民主主義を包摂ではなく排除のツールにしてしまう。すると、力のない者は、よく見ることもせず、よく考えることもしないで、「世の中ってこんなものか」と納得してしまう。自分の無力に思い上がることになる。

『神曲』の地獄門の銘には、「私をくぐろうと思うなら、一切の希望を捨てよ」と書かれている。ダンテは地獄、煉獄、天国を旅して、最後は神の光に出会う。『神曲』で印象深いのは、〈地獄〉篇も、〈煉獄〉篇も、〈天国〉篇も、最後の歌の最後の行の最後の単語が「星」(stella の複数 stelle) で終わっていることだ。

「君たちはどう生きるか」を問いつづけたカントは、星空を見上げて夢想する。〈人間には、今のところはまどろんでいるのだが、もっと大きな、モラルの素質というものがあるのではないか。その素質のおかげで、いつかは、人間のなかにある悪の原理（この存在を人間は否定することはできないが）の主人になれるのではないか。そして、そのことをほかの人にも期待できるのではないか〉。

「永遠の平和」亭の〈看板には墓地の絵が描かれていた〉。ロマンチックなカントは、なかなかのリアリストでもあるが、酷薄なリアリストではない。人間を善良なものだと考えていると、絶望に走りやすいが、〈人間のなかにある悪の原理〉を否定しないカントは、簡単に絶望したりしない。希望を捨てず、神頼みもしない。『神曲』は地獄に降りて、地獄を見学してまわるだけだが、人曲『永遠の平和』には、恐ろしい未来への警告を読むことができる。理性とモラルを動員しなければ、あっという間に人類は滅んでしまうぞ。これが、「永遠の平和」亭のデザイナーの心だろう。

だが人類には、なかなかの難題が待っている。カントの門をくぐり抜けるには、「自由意思をそなえた尊厳ある存在」である人間が、「理性」と「モラル」の持ち主であることを証明する通行手形を見せなければならない。

啓蒙主義では、理性に光があてられがちだが、ロマンも大事なベクトルだ。ロマン主義は、現実離れした空想だと鼻であしらわれるが、「今とはちがう状態」を夢見ることができる貴重な土壌にもなる。「永遠の平和」亭のデザインは、心ある人を勇気づけ、自分の無力に思い上がることを思いとどまらせてくれる。それは、71歳のカントが、地に足のついた〈机上の空論〉をていねいに展開しているからだ。

『共産党宣言』は、働く人に呼びかけたパンフレットである。『永遠の平和』は、中途半端なバーゼル平和条約にカントが不満を感じて、政治家たちを意識して書いた小冊子である。カント哲学を「矛盾なく」理解したがる学者たちを意識して書かれたわけではない。だから、たとえば〈自然のメカニズム〉が腑に落ちなくても大丈夫。私の敬愛するヴィトゲンシュタインは、こう言った。〈矛盾にも市民として居場所があること。または、市民社会において矛盾にも居場所があること。それが哲学のあつかう問題なのだ〉。

ドイツ初期ロマン派をリードした論客フリードリヒ・シュレーゲルは、『永遠の平和』を読んで、賢者カントの崇高な心情に感激して、「すべての正義の友を元気づけるにちがいない」と言った。カントの小冊子には、たとえば〈公開（＝透明性）〉など、「寛容とヒューマニズム」の惑星をめざす市民へのヒントがたくさん詰まっている。『永遠の平和のために』は、モラルのない政治家に対抗する啓蒙主義宣言なのだ（なんちゃってね）。

＊　＊　＊

宇都宮芳明訳『永遠平和のために』（岩波文庫）からいろいろ教わった。ありがとうございました。

読みやすい文庫本にするために、私よりうんと若い向山愛夏さんに、翻訳モニターをお願いした。講談社編集部の互盛央さんには、編集も担当していただいた。ありがとうございました。

２０２１年４月

丘沢静也

＊本書は、講談社学術文庫のための新訳です。

イマヌエル・カント

1724-1804年。ドイツの哲学者。著書に『純粋理性批判』（1781年）、『実践理性批判』（1788年）、『判断力批判』（1790年）ほか。

丘沢静也（おかざわ　しずや）

1947年生まれ。ドイツ文学者。著書に『マンネリズムのすすめ』、『下り坂では後ろ向きに』ほか。訳書にマルクス『ルイ・ボナパルトのブリュメール18日』（講談社学術文庫）、ヴィトゲンシュタイン、カフカなど。

定価はカバーに表示してあります。

永遠の平和のために

イマヌエル・カント

丘沢静也 訳

2022年1月11日　第1刷発行
2024年6月7日　第2刷発行

発行者　森田浩章
発行所　株式会社講談社
東京都文京区音羽 2-12-21 〒112-8001
電話　編集（03）5395-3512
販売（03）5395-5817
業務（03）5395-3615
装　幀　蟹江征治
印　刷　株式会社新藤慶昌堂
製　本　株式会社国宝社

ISBN978-4-06-526730-1

#「講談社学術文庫」の刊行に当たって

これは、学術をポケットに入れることをモットーとして生まれた文庫である。学術は少年の心を養い、成年の心を満たす。その学術がポケットにはいる形で、万人のものになることは、生涯教育をうたう現代の理想である。

こうした考え方は、学術を巨大な城のように見る世間の常識に反するかもしれない。また、一部の人たちからは、学術の権威をおとすものと非難されるかもしれない。しかし、それはいずれも学術の新しい在り方を解しないものといわざるをえない。

学術は、まず魔術への挑戦から始まった。やがて、いわゆる常識をつぎつぎに改めていった。学術の権威は、幾百年、幾千年にわたる、苦しい戦いの成果である。こうしてきずきあげられた城が、一見して近づきがたいものにうつるのは、そのためである。しかし、学術の権威を、その形の上だけで判断してはならない。その生成のあとをかえりみれば、その根は常に人々の生活の中にあった。学術が大きな力たりうるのはそのためであって、生活をはなれた学術は、どこにもない。

開かれた社会といわれる現代にとって、これはまったく自明である。生活と学術との間に、もし距離があるとすれば、何をおいてもこれを埋めねばならない。もしこの距離が形の上の迷信からきているとすれば、その迷信をうち破らねばならぬ。

学術文庫は、内外の迷信を打破し、学術のために新しい天地をひらく意図をもって生まれた。文庫という小さい形と、学術という壮大な城とが、完全に両立するためには、なおいくらかの時を必要とするであろう。しかし、学術をポケットにした社会が、人間の生活にとってより豊かな社会であることは、たしかである。そうした社会の実現のために、文庫の世界に新しいジャンルを加えることができれば幸いである。

一九七六年六月

野間省一

西洋の古典

2465
七十人訳ギリシア語聖書
モーセ五書
秦　剛平訳

前三世紀頃、七十二人のユダヤ人長老がヘブライ語聖書をギリシア語に訳しはじめた。この通称「七十人訳」こそ、現存する最古の体系的聖書でありイエスの時代の聖書である。西洋文明の基礎文献、待望の文庫化！

電P

2479
ホモ・ルーデンス
文化のもつ遊びの要素についてのある定義づけの試み
ヨハン・ホイジンガ著／里見元一郎訳

「人間の文化は遊びにおいて、遊びとして、成立し、発展した」——。遊びをめぐる人間活動の本質を探究、「遊びの相の下に」人類の歴史を再構築した人類学の不朽の大古典！　オランダ語版全集からの完訳。

電P

2495
エスの本
ある女友達への精神分析の手紙
ゲオルク・グロデック著／岸田　秀・山下公子訳

「人間は、自分の知らないものに動かされている」。フロイト理論に多大な影響を与えた医師グロデックが、心身両域にわたって人間を決定する「エス」について明快に語る。「病」の概念をも変える心身治療論。

電P

2496
ヨハネの黙示録
小河　陽訳（図版構成・石原綱成）

正体不明の預言者ヨハネが見た、神の審判による世界の終わりの幻。最後の裁きは究極の破滅か、永遠の救いか——？　新約聖書の中で異彩を放つ謎多き正典のすべてを、現代語訳と八十点余の図像で解き明かす。

電P

2500
仕事としての学問　仕事としての政治
マックス・ウェーバー著／野口雅弘訳

マックス・ウェーバーが晩年に行った、二つの講演の画期的新訳。『職業としての学問』と『職業としての政治』の邦題をあえて変更し、生計を立てるだけの「職業」ではない学問と政治の大切さを伝える。

電P

2501
社会学的方法の規準
エミール・デュルケーム著／菊谷和宏訳

ウェーバーと並び称される社会学の祖デュルケームは、一八九五年、新しい学問を確立するべく、記念碑的なマニフェストとなった本書を発表する。社会学とは何を扱う学問なのか？——決定版新訳が誕生。

電P

《講談社学術文庫　既刊より》

西洋の古典

2502・2503
世界史の哲学講義
G・W・F・ヘーゲル著／伊坂青司訳
ベルリン　1822／23年（上）（下）

一八二二年から没年（一八三一年）まで行われた講義のうち初年度を再現。上巻は序論「世界史の概念」から本論第一部「東洋世界」を、下巻は第二部「ギリシア世界」から第四部「ゲルマン世界」をそれぞれ収録。

電P

2504
小学生のための正書法辞典
ルートヴィヒ・ヴィトゲンシュタイン著／丘沢静也・荻原耕平訳

ヴィトゲンシュタインが生前に刊行した著書は、たったの二冊。一冊は『論理哲学論考』、そして教員生活を送っていた一九二六年に書かれた本書である。長らく未訳のままだった幻の書、ついに全訳が完成。

電P

2505
言語と行為
J・L・オースティン著／飯野勝己訳
いかにして言葉でものごとを行うか

言葉は事実を記述するだけではない。言葉を語ることがそのまま行為をすることになる場合がある――「確認的」と「遂行的」の区別を提示し、「言語行為論」の誕生を告げる記念碑的著作、初の文庫版での新訳。

電P

2506
老年について　友情について
キケロー著／大西英文訳

偉大な思想家にして弁論家、そして政治家でもあった古代ローマの巨人キケロー。その最晩年に遺された著作のうち、もっとも人気のある二つの対話篇。生きる知恵を今に伝える珠玉の古典を一冊で読める新訳。

電P

2507
技術とは何だろうか
マルティン・ハイデガー著／森　一郎編訳
三つの講演

第二次大戦後、一九五〇年代に行われたテクノロジーをめぐる講演のうち代表的な三篇「物」、「建てること、住むこと、考えること」、「技術とは何だろうか」を新訳で収録する。技術に翻弄される現代に必須の一冊。

電P

2508
閨房の哲学
マルキ・ド・サド著／秋吉良人訳

数々のスキャンダルによって入獄と脱獄を繰り返し、人生の三分の一以上を監獄で過ごしたサドのエッセンスが本書には盛り込まれている。第一級の研究者がついに手がけた「最初の一冊」に最適の決定版新訳。

電P

西洋の古典

2509
物質と記憶
アンリ・ベルクソン著／杉山直樹訳

フランスを代表する哲学者の主著——その新訳を第一級の研究者が満を持して送り出す。簡にして要を得た訳者解説を収録した文字どおりの「決定版」である本書は、ベルクソンを読む人の新たな出発点となる。

電 P

2519
科学者と世界平和
アルバート・アインシュタイン著／井上　健訳（解説・佐藤優／筒井　泉）

ソビエトの科学者との戦争と平和をめぐる対話「科学者と世界平和」。時空の基本概念から相対性理論の着想、統一場理論への構想まで記した「物理学と実在」。平和と物理学、それぞれに統一理論はあるのか？

電 P

2526
中世都市 社会経済史的試論
アンリ・ピレンヌ著／佐々木克巳訳（解説・大月康弘）

「ヨーロッパの生成」を中心テーマに据え、二十世紀を代表する歴史家となったピレンヌ不朽の名著。地中海を囲む古代ローマ世界はゲルマン侵入とイスラーム勢力によっていかなる変容を遂げたのかを活写する。

電 P

2561
箴言集
ラ・ロシュフコー著／武藤剛史訳（解説・鹿島茂）

十七世紀フランスの激動を生き抜いたモラリストが、人間の本性を見事に言い表した「箴言」の数々。鋭敏な人間洞察と強靭な精神、ユーモアに満ちた短文が、自然に読める新訳で、現代の私たちに突き刺さる！

電 P

2562・2563
国富論（上）（下）
アダム・スミス著／高　哲男訳

スミスの最重要著作の新訳。「見えざる手」による自由放任を推奨するだけの本ではない。分業、貨幣、利子、貿易、軍備、インフラ整備、税金、公債など、経済の根本問題を問う近代経済学のバイブルである。

電 P

2564
ペルシア人の手紙
シャルル＝ルイ・ド・モンテスキュー著／田口卓臣訳

二人のペルシア貴族がヨーロッパを旅してパリに滞在している間、世界各地の知人たちとやり取りした虚構の書簡集。刊行（一七二一年）直後から大反響を巻き起こした異形の書、気鋭の研究者による画期的新訳。

電 P

西洋の古典

2700
方法叙説
ルネ・デカルト著／小泉義之訳

われわれは、この新訳を待っていた——デカルトから出発した孤高の研究者が満を持してみずからの原点に再び挑む。『方法序説』という従来の邦題を再検討に付すなど、細部に至るまで行き届いた最良の訳が誕生！ 電P

2701
永遠の平和のために
イマヌエル・カント著／丘沢静也訳

哲学者は、現実離れした理想を語るのではなく、目の前の事実から出発していかに「永遠の平和」を実現できるのかを考え、そのための設計図を描いた——従来の邦訳が与えるイメージを一新した問答無用の決定版新訳。 電P

2702
国民とは何か
エルネスト・ルナン著／長谷川一年訳

「国民の存在は日々の人民投票である」という言葉で知られる古典を、初めての文庫版で新訳する。逆説的にもグローバリズムの中で存在感を増している国民国家の本質とは？　世界の行く末を考える上で必携の書！ 電P

2703
個性という幻想
ハリー・スタック・サリヴァン著／阿部大樹編訳

対人関係が精神疾患を生み出すメカニズムを解明し、いま注目の精神医学の古典。人種差別、徴兵と戦争、プロパガンダ、国際政治などを論じ、社会科学の中に精神医学を位置づける。本邦初訳の論考を中心に新編集。 電P

2704
人間の条件
ハンナ・アレント著／牧野雅彦訳

「労働」「仕事」「行為」の三分類で知られ、その絡み合いの中で「世界からの疎外」がもたらされるさまを描き出した古典。はてしない科学と技術の進歩の中、人間はいかにして「人間」でありうるのか——待望の新訳！ 電P

2749
宗教哲学講義
G・W・F・ヘーゲル著／山﨑　純訳

ドイツ観念論の代表的哲学者ヘーゲル。彼の講義は人気を博し、後世まで語り継がれた。西洋から東洋までの宗教を体系的に講じた一八二七年の講義に、一八三一年の講義の要約を付す。ヘーゲル最晩年の到達点！

西洋の古典

2750

ゴルギアス

プラトン著／三嶋輝夫訳

練達の訳者が初期対話篇の代表作をついに新訳。代表的なソフィストであるゴルギアスとの弁論術をめぐる対話が展開される中で、「正義」とは何か、「徳」とは何かが問われる。その果てに姿を現す理想の政治家像とは？ 電P